Pyramide

A2

Brigitte Clarke
Richard Marsden

Longman

Edinburgh Gate
Harlow, Essex

Pearson Education Limited
Edinburgh Gate
Harlow
Essex
CM20 2JE
England and Associated Companies throughout the World

ISBN 0582 427061

First published 2001
Printed in Great Britain by Scotprint, Haddington

The Publisher's policy is to use paper manufactured from sustainable forests.

Acknowledgements

We are grateful to the following for permission to reproduce copyright material:
© Larousse-Bordas for an extract from the article 'Les craintes environmentales se généralisent' in Francoscopie 1999 by G. Mermet; www.greenpeace.fr for an extract from the article 'Le nucléaire c'est'; www.multimania.com/netfrog for an extract from the article 'Les animaux en voie de disparition'; Le Nouvel Obseravteur for extracts from the articles 'Climat ce qui nous attend' by Gérard Petitjean 28.12.00, 'Mort ou est ta victoire?' by Robert Badinter No1736, 'Patrick Henri, Lucien Leger, Nathalie Menigon et les autres' by Marie-France Etchegoin No1860; 'C'est ici qu'on meurt' by Jean-Paul Mari 12.10.00; 'Quand la télé fait son boulot' 7.4.99; 'Pour moi, être juif en France, c'est ... ' by Daniel Farhi 7.12.00; 'Trente morts sans ordonnance' by Alain Chouffan No1760; NOUVEL OBSERVATEUR © Le Nouvel Observateur; © Editions Jean-Claude Lattès, 1973 for an extract from pp. 32-33 of Un sac de billes by Joseph Joffo; www.info.europe.fr for an extract from the article 'Les symboles de l'Union européene'; www.fenetreeurope.com for an extract from the article 'L'élargissement de l'Europe'; www.canal.ipsos for an article from 'Les conséquences de L'Europe pour la France (enquête Nov 98)'; www.france-zoom.com/europe/jeunes for an extract from 'Les jeunes et Europe'; www.multimania.com/lyceetanislas for an extract from the article 'L'ouverture à l'Europe'; www.europarl.eu.int.charter/fr for an extract from the article 'La charte des droits fondamentaux de l'Union européene'; © Editions du Seuil 1989 for an extract from pp.43-44 of Béni ou le Paradis privé by Azouz Begag; Herbert Jose for an extract from 'Le racisme de Herbert José'; www.SOS-racisme-14.org for the SOS-racisme logo; mrap.asso.fr for an extract from the article 'Une histoire de 50 ans' and the MRAP logo; ÇA M'INTERESSE & Lionel SZAPIRO for an extract from the article 'La France encore terre d'accueil?'; www.bok.net/pajol/film.html for an extract from the article 'Manifeste sans papiers'; University of Exeter, School of Modern languages Reportage course for an extract from the article 'L'intégration des étrangers ... procédé chimérique ou possibilité réélle?' by Mark Fielding and Julien Piot; LE FIGARO MAGAZINE for an extract from the article 'La chanson contre les intégristes' by François Deletraz and a photo of Cheb Khaled by Catherine Cabrol 8.3.97; LE FIGARO for an extract from the article 'Faits divers: Grenoble, Tours' 8.3.97; LE PARISIEN for an extract from an article taken from their website 'Course poursuite avec un camion de clandestins Londres' 31.7.00; Amnesty.asso.fr for their logo and an extract from the article 'Quelques mots; Dans le monde entier ... ' ; Editions Denoël for an extract from pp.218-219 of Elise ou la vrai vie by Claire Etcherelli; www. Ecolo.be for an extract from an open discussion forum on 'La dioxine dans nos assiettes'; IFOP for an extract from the survey '1999 Les attentes des électeurs', published in L'EXPRESS and carried out between 17-18 December 1998 on 1003 adults aged 18 and over;
© Lonely Planet for an extract from the guide Corse, 'Le malaise Corse', April 1999; www.france-elections.org for extracts from the articles 'Femmes en politique' and 'Suffragettes, féministes et droits politiques'; www.lefigaro.fr for an extract from the article 'La cohabitation difficile des 2 Strasbourg' by Yolande Baldeweck, 11.12.00; Excelsior Publications for an extract from the article 'Le sida fléau des pays en voie de développement' from SCIENCE ET VIE JUNIOR; ELLE for an extract from the article 'Enfances irakiennes' by Dorothée Werner 18/12/00; www.sosfemmes.com/ for an extract from the article 'Viol en France: les chiffres'; © Ateliers et Presses de Taizé for extracts from their website 'L'été à Taizé' 2000 and 'L'accueil des jeunes' 1998; Institut d'Expertise Vétérinaire for an extract from their website guide '32 Questions des consommateurs sur la Maladie de la vache folle'; www.presse-renaissance.com; for an extract from the article 'Le progrés en procés'; FEMME ACTUELLE for an extract from the article 'En route vers le troisiéme millenaire' by Lucie de Talanne 25/12/00 No848.

In some instances we have been unable to trace copyright owners of material and we would appreciate any information which would enable us to do so.

Espace Eolien Développement, 1998, page 16 top right; www.info-europe.fr, pages 29 and 43 top left and bottom right; Livre de Poche, page 31 bottom right; www.sosfemmes.com/, page 102 top right; © Ateliers et Presses de Taizé, page 104 top left;

We are grateful to the following for permission to reproduce photos:
PA Photos pp 74, 75, 87 (2), 91, 93, 97, 99, 116, 117; David Simpson pp 12 (2), 15 (3), 20 (3), 26, 29 (3), 36, 46, 48 (2), 51, 59, 64, 70 (2), 71, 72, 73, 77, 78 (2), 84, 85, 90, 92 (2), 103 (5), 104, 110, 111, 114, 118 (5); Rex pp 18, 53, 87 (3), 94, 95, 106, 108, 120 (2); Andes Press Agency p 52; Greg Evans pp 25, 32; Corbis pp 17, 56; Hulton Getty pp 26, 30 (2), 31

Illustrations by Art Construction, Josephine Blake, Tony Forbes

Contents

Pyramide is an exciting advanced French course broken into two stages:
AS – takes students through one year of study to AS level.
A2 – continues through the second year of study to A level.

Content

Each of six units deals with themes which are appropriate to the age and interests of learners and which are compatible with and A2 French syllabus.

Objectives

Each unit has clear and attainable objective which are printed both in the Teacher's Book and at the beginning of each unit of the Student's Book.

Unit Structure

Départ

The first section of each unit begins where students are post AS level both in terms of lexical and grammatical knowledge and in confidence in all four skill areas. There are materials and activities which even the weakest advanced level student should find accessible and which prepare for further progression.

Progression

The core materials and activities in this section aim to build on existing skills and knowledge to provide a carefully structured route to greater linguistic knowledge and confidence. Students are led gradually towards greater independence and accuracy.

Examen

Four pages of A2-style exam questions provide both teachers and students with a focus for revision and consolidation before assessing what has been learnt. A suggested mark-scheme is provided for this purpose.

Extra

Two pages of materials and tasks which provide for the needs of even the most able and confident student and which develop themes from the more concrete to the more abstract and allow for greater independence.

Skills

All four skills are covered amply by the course and activities. Much care has been taken by the authors to ensure that students are gaining in terms of skills as well as in ability to tackle themes, and increasingly demanding activities in all four skills provide a structure for this progression throughout the course.
Stratégie boxes give explicit help with developing the skills of a successful language learner.
ICT coverage is highlighted in the teacher's notes an useful web-sites are drawn to the teacher's attention in their version of the objectives grid.

In this first stage progression is at the heart of the course. Each unit has four clearly marked out stages.

Differentiation

As well as the in-built differentiation of the course provided by the unit structure, opportunities for additional support for the less able student or further extension for the more able student are highlighted in the teacher's notes. Photocopiable worksheets also enhance the differentiation provided for by Pyramide.

Grammar

A systematic progression through grammatical structures appropriate to study at advanced level has been carefully mapped out in the course. Again, Pyramide begins with what is already familiar to students and re-introduces it gradually in each unit before extending skills and knowledge. Clear explanations of grammar points are given in English as they arise with integrated activities to practise the points, before and independent production is expected. A grammar section at the back of the student's book gives further assistance to students working on their own and the grammar worksheet within each unit provides for further explicit practice.

Worksheets

Photocopiable worksheets, with activities in all four skill areas, are included with the course and are provided at the back of the teacher's notes. A suggested point for introducing each worksheet is indicated in the main body of the teacher's manual. There are five worksheets for each unit as follows:

Départ

Provide further support and practice for less able or less experienced learners.

Progression a and Progression b

Extend the subject matter of the core materials, to provide useful independent study activities and to consolidate the language and structures of each unit.

Extra

Designed to further differentiate for the more able or confident learner and to introduce material from a greater range of sources, including literary sources.

Grammaire

Provide exercises which enable students to practise the grammar points covered in each unit.

The authors sincerely hope that both students and teacher will enjoy and gain enormously from using Pyramide and that the course will provide a base for rewarding, exciting and successful study of French.

Bon courage!

Brigitte Clarke
Richard Marsden

Chapitre 1: La planète en danger

Pages	Thèmes	Grammaire	Compétences
7 – 9 Départ	Les différentes sortes de pollution La protection de l'environnement Une rivière polluée: le Danube	Le subjonctif: révision	Exprimer ses opinions et les justifier
10 – 19 Progression	La marée noire Une organisation: Greenpeace La pollution de l'air Les Français et leur environnement Deux énergies renouvelables: l'énergie solaire et l'énergie éolienne Le nucléaire	Le passif: révision + extension Les pronoms relatifs: révision + extension	Ecouter un passage plus long et plus difficile Faire un exposé Participer à un débat Essayer de convaincre Ecrire une dissertation
20 – 23 Examen	La charte de l'écocitoyen Jérôme: écocitoyen Les animaux en voie de disparition La pollution des mers: les dauphins L'énergie nucléaire		Examen blanc
24 – 25 Extra	Le monde dans cinquante ans: prédictions		

Le saviez-vous?

- 59% des Français estiment qu'il faut agir en priorité contre la pollution de l'air
- 39% contre celle de l'eau
- 20% en faveur de l'élimination des déchets
- 20% contre les risques du nucléaire
- 17% pour la sauvegarde des plantes et des animaux
- 13% pour la protection des paysages
- 12% contre le bruit

Départ

1 La pollution

a Avant d'écouter la cassette, cherchez les expressions suivantes dans un dictionnaire:
1 de vraies décharges.
2 la pollution des rivages.

b Ecoutez les membres de cette famille française qui vous parlent de la pollution et regardez les images précédentes. Qui parle de quelle image?

c Ecoutez de nouveau la cassette. Vous avez entendu des expressions similaires aux expressions suivantes. Quelles sont-elles?

Exemple: Plusieurs kilomètres de côte ont été pollués par du mazout.
   1 des centaines de kilomètres de littoral ont été mazoutés

1 plusieurs kilomètres de côtes ont été polluées par le mazout
2 c'est attristant?
3 ce bateau ne pouvait plus
4 collés et intoxiqués
5 c'est insupportable
6 les villes qui ont plus de cent mille habitants
7 dû aux gaz émis par les voitures
8 campagne contre le bruit
9 l'énergie nucléaire me fait très peur
10 en raison du danger causé par l'abondance
11 toutes ces usines qui produisent de l'électicité

2 Maintenant à vous!

Traduisez les phrases suivantes en français.
1 It is sad to see so many birds covered in oil.
2 Every time there is an oil leak nature is endangered.
3 Asthmatics find pollution unbearable because they have breathing difficulties.
4 In towns, pollution is increasing because of exhaust fumes.
5 If there was less traffic, towns would be less polluted and less noisy.
6 I think that power stations are too expensive and they are not economical enough.

Grammaire (Rappel!)

The subjunctive is used:
– with certain expressions of necessity: **il faut que** ...
– with expressions of fear: **avoir peur que** ...
– when you want or wish for someone else to do something: **vouloir que** ...
– after certain conjunctions: **bien que** ...
– with **penser** and **croire** in questions or negative sentences.

For more details, see p.145 grammar section.

3 Conseils anti-pollution

a Les 10 conseils suivants sont à l'infinitif. Mettez-les au présent de l'indicatif.

Exemple: Utiliser les transports en commun.
   J'utilise les transports en commun.

Utiliser les transports en commun

Se déplacer à pied ou à vélo

Offrir les places disponibles de sa voiture et pratiquer le covoiturage

Entretenir son véhicule

Mettre de l'essence sans plomb

Ne pas jeter de papiers par terre

Recycler les papiers et le verre

Conduire sans faire de bruit

b Utilisez ces expressions précédées de: **Il faut que les gens** ...

Exemple: Il faut que les gens utilisent les transports en commun.

4 Souhaits, souhaits ...

Ecoutez ces ados et faites des phrases:

1 Stéphanie aimerait ...
2 Julien souhaite ...
3 Selon Emmanuel, il faudrait ...
4 Natalie voudrait ...
5 Baptiste ne pense pas ...

a ... que la protection de l'environnement soit réservée à certains.
b ... que la municipalité fasse construire des pistes cyclables.
c ... que le gouvernement de certains pays réduise l'armement nucléaire.
d ... que tout le monde prenne les transports en commun.
e ... qu'il y ait des règles plus strictes.

5 Appel: Pour une planète vivable ...

Agissons pour un monde plus sain!

Contre le bruit

A bas la pollution!

Contre le nucléaire

On ne cesse de lire dans les journaux et d'écouter à la radio des protestations contre la pollution; tout le monde semble prendre le problème au sérieux. Lisez la lettre ci-dessous et faites les exercices qui suivent.

Le rédacteur en chef, Le Point
Monsieur,
La destruction progressive de notre environnement ainsi que la pollution de l'air, de l'eau ou des sols peuvent être évitées. Je considère qu'il est possible de vivre dans un environnement sain sans vivre comme au début du siècle. Depuis plusieurs années, des millions de personnes se mobilisent pour protéger les sources même de la vie. Les gens en sont de plus en plus conscients et un grand nombre d'entre eux sont en faveur d'un monde plus respectueux de ses habitants et de leur avenir.
Pourtant, les destructions s'étendent, l'effet de serre et la désertification s'accroissent, les ressources naturelles s'épuisent. Un air sain, une eau potable, une nourriture sans danger ne sont même plus garantis dans les pays dits développés qui essaient pourtant d'éduquer les pays dits «sous-développés».
Qu'est-ce qu'un monde vivable? Cela implique que l'eau, l'air, les milieux naturels soient protégés.
Déjà des campagnes d'action en Europe ont permis d'obtenir des résultats: abandon des projets de barrage sur la Loire, obligation du pot catalytique, interdiction du trafic international des déchets ...
Il faut que nous agissions pour l'environnement, que nous nous engagions!
Je vous remercie d'avance de l'attention que vous voudrez bien accorder à mes observations.
Je vous prie, Monsieur, d'agréer l'expression de mes sentiments distingués.
Lucette Coppé
Mme Lucette Coppé
22 Foyer Bellevue
Rambault

Glossaire

l'effet de serre	greenhouse effect
le pot catalytique	catalytic converter
les déchets	waste

a Trouvez l'expression qui veut dire:
1 j'estime que
2 cependant
3 augmentent
4 disparaissent
5 nous devons faire quelque chose

b Choisissez les phrases ci-dessous qui décrivent les opinions de Madame Coppé.
1 Je pense que la destruction de l'environnement est inévitable.
2 Depuis de nombreuses années, beaucoup de gens s'associent pour protéger l'environnement.
3 L'effet de serre et la désertification diminuent.
4 Les pays développés ne sont même pas sûrs d'avoir de l'eau potable.
5 Les pays européens sont engagés dans la même action.

6 Et vous qu'en pensez vous?

Vous avez lu la lettre à gauche dans un magazine français et vous discutez du problème avec votre partenaire. Vous donnerez votre point de vue et utiliserez le vocabulaire que vous avez étudié précédemment. Vous énoncerez aussi ce que vous faites pour protéger l'environnement.

Partenaire A	Partenaire B
La destruction de l'environnement, c'est un problème nouveau?	Il me semble que ... j'estime que ...
C'est un problème qui te touche?	Je suis frappé(e) par + nom
Et les jeunes, en général, en sont-ils conscients?	Il me paraît évident que ...
Que fais-tu pour protéger l'environnement?	Je recycle ... J'utilise trop ma voiture mais je suis d'accord avec ceux qui ...
Et tes amis / ta famille que font-ils?	Ils ...

7 Accident sur le Danube

Avant de lire le texte ci-dessous, vérifiez le sens des mots suivants dans un dictionnaire monolingue.

le cyanure   une nappe   se déverser
une mine   un barrage

ONU: Le Danube, victime d'un des pires accidents cologiques.

BELGRADE: Un expert des Nations Unies déclare que la pollution au cyanure du bassin du Danube, causant la mort de milliers de poissons, constituait l'un des pires accidents écologiques jamais survenus dans une rivière en Europe.

«L'accident a été catastrophique pour la vie aquatique, la faune et la flore des rivières», a déclaré un responsable de l'environnement des Nations unies pour les Balkans.

La pollution au cyanure est partie le mois dernier de la mine d'or de Baja Mare, dans le nord-ouest de la Roumanie, détenue à 50% par une compagnie australienne.

La nappe s'est d'abord déversée dans la rivière Tisza, un affluent du Danube, avant de rejoindre le fleuve qui arrose la Hongrie et la Yougoslavie.

Le responsable qui a visité la mine mercredi, a déclaré avoir été choqué par l'absence de protections suffisantes. Quand le barrage s'est brisé, tout s'est directement déversé dans la rivière.

Selon lui, cette pollution ne peut être comparée avec l'accident nucléaire de Tchernobyl en 1986, car les conséquences des radiations sur la santé humaine et l'environnement sont différentes.

«L'accident du Danube est comparable à celui de Sandoz qui avait conduit à la pollution de 500 kilomètres du Rhin en 1986 et, il y a deux ans, à un autre incident dans une mine espagnole qui avait pollué le delta de cette région», a-t-il déclaré lors d'une conférence de presse.

a   Complétez le tableau suivant. Utilisez un dictionnaire si besoin est.

Nom	Adjectif	Verbe
pollution		
environnement		
	écologique	
		se déverser
		arroser
		choquer
protection		

b   Vrai ou faux? Corrigez les phrases fausses.

1   Il n'y a jamais eu d'accidents aussi graves dans une rivière européenne.
2   Cette pollution a très vite atteint une mine d'or.
3   Une compagnie australienne possédait la mine d'or en totalité.
4   L'accident aurait pu être évité.
5   Le cyanure s'est répandu dans la rivière lorsque le barrage s'est écroulé.
6   Cet accident est similaire à celui de Tchernobyl.

8 Règles plus strictes

Ecoutez ces quatre personnes et remplissez les blancs.

Première personne:
Il est ...(1)... qu'à notre ...(2)... , avec toute la technologie ...(3)... , il existe des catastrophes comme celle-là. Il faut trouver les ...(4)... et ils doivent payer.

Deuxième personne:
Moi je pense qu'il devrait y avoir des ...(5)... plus strictes ...(6)... ce type d'accident ne se reproduise plus. Je pense personnellement que la compagnie est ...(7)... . Ce barrage ... . Il était certainement très vieux. Et la ...(8)... était aussi sûrement sous qualifiée.

Troisième personne:
Le ...(9)... est le seul responsable. Il essaie de tout faire avaler avec des ...(10)... : les ...(11)... par exemple. Tout ça, c'est pour ...(12)... les habitants et l'opinion publique des ...(13)... immédiats.

Quatrième personne:
Cette catastrophe a tué environ 90% de la vie aquatique, et on estime que le retour à la normale prendra beaucoup de temps. Ce qui me fait peur, en fait, c'est que ce n'est pas le seul incident. Il faudrait que tous les gouvernements ...(14)... pour ...(15)... ce genre de catastrophe ... donner des ...(16)... aux petites compagnies pour avoir du meilleur ...(17)... .

9 C'est pas ma faute ...

Faites un dialogue et enregistrez-vous.

Partenaire A	Partenaire B
Vous êtes le PDG (directeur) d'une usine responsable	Vous faites partie d'une organisation écologique
C'est votre travail	Vous accusez le PDG
Aucune aide du gouvernement	Son matériel est démodé
Concerné par les problèmes de l'environnement	Ne s'intéresse qu'à l'argent
	Destruction de la faune et de la flore aquatiques
Vous fournissez beaucoup d'emplois à la population	Vous demandez que l'on ferme cette usine
Vous acceptez d'être responsable mais pensez que les peines que l'organisation écologique demande sont trop sévères	Vous demandez aussi que le PDG soit puni: amende / prison ...

Progression

1 Histoires noires ...

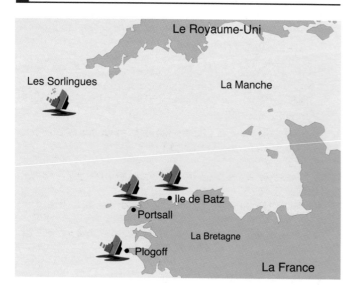

Depuis une vingtaine d'années, plusieurs centaines d'accidents, ayant causé des marées noires, de plus ou moins grande importance, se sont produits. La région française la plus touchée a été la Bretagne.

a   Lisez le texte ci-dessous.

Le saviez-vous?

La France est l'un des premiers pays à avoir créé, le 27 janvier 1971, un ministère de la nature et de l'environnement.

b   Retrouvez dans le texte les mots qui veulent dire:

Torrey Canyon	Erika
1 ship	**9** tanker
2 to run aground	**10** towed
3 to pour out	**11** to sink
4 needless to say	**12** oil

Amoco-Cadiz	Tanio
5 tank	**13** oil leak
6 to spill	**14** wreck
7 to soil	**15** wildlife
8 cleaning	**16** shore

c   Avez-vous bien compris?

Year	Ship's name	Where
1967	Torrey-Canyon	

What happened	Damages

1967   Torrey-Canyon
Un navire libérien va s'échouer à proximité des Iles Scilly en déversant près de 120 000 tonnes de brut. Il va sans dire que la nature n'a pas été épargnée: des milliers d'oiseaux ont péri.

1978   Amoco-Cadiz
A proximité du port de Portsall, au large de la Bretagne, le 16 mars plusieurs citernes se déchirent et plus de 230 000 tonnes de brut se répandent le long des côtes. Jusqu'à fin août, 360 km de côte sont souillés. Il faudra travailler au nettoyage jusqu'à l'automne suivant. Plus de vingt ans après cette catastrophe majeure, l'équilibre biologique n'est toujours pas complètement rétabli.

1980   Tanio
Le 7 mars le pétrolier malgache Tanio se casse au large de l'île de Batz. Huit morts. La partie arrière va être remorquée jusqu'au Havre, et l'avant coule. 140 km de litoral seront touchés par 8 000 tonnes de fuel lourd.

1999   Erika
Le 14 décembre 1999, on estime que 6 000 tonnes de mazou ont été déversés et que 400 km de littoral ont été touchés. Il est possible que cette marée noire due au naufrage de l'Erika détruise une bonne partie de la faune et de la flore marine sur la côte atlantique. On dénombre entre 100 000 et 300 000 oiseaux morts. Les conséquences de cette marée noire seront aussi sans doute très graves sur le plan économique. Elle aura un effet sur la pêche, l'ostréiculture (huîtres) et le tourisme qui sont très importants pour les régions touchées. La restauration des rivages pollués coûtera beaucoup d'argent aux municipalités concernées.

Grammaire

The passive

Use **être** (in the correct tense) + the past participle of the verb + agreement with the subject.

Present: 360 Kms de côte sont souillés

Past: La marée noire a été causée par le naufrage de l'Erika. (perfect)

L'équilibre biologique n'était toujours pas rétabli. (imperfect)

Cette catastrophe avait été prévue. (pluperfect)

La faune fut peu touchée. (past historic)

Future: Les dégâts seront pris en charge par le gouvernement.

Conditional: Le PDG serait accusé.

Infinitive: Beaucoup d'argent devra être consacré à la restauration des rivages pollués.

Attention: The passive is less common in French than in English and it is often avoided.

Active sentences can only be turned into passive sentences if the object is direct.

Example: Le gouvernement avait prié le PDG de vérifier son matériel.
Le PDG avait été prié de vérifer son matériel.

The following verbs cannot be turned into a passive because they take an indirect object (they are followed by **à**): **dire, conseiller, téléphoner, demander, montrer, refuser.**

Example: On m'a montré l'étendue du désastre.
I was shown the extent of the disaster.

on m'a dit	I was told
on lui a dit	he/she was told
on leur a dit	they were told
on m'a conseillé	I was advised
on lui a conseillé	he/she was advised
on leur a conseillé	they were advised
on m'a demandé	I was asked
on lui a demandé	he/she was asked
on leur a demandé	they were asked
on m'a refusé	I was refused
on lui a refusé	he/she was refused
on leur a refusé	they were refused

2 Interview avec Robert Hue

a   Voici une liste de faits. Quels faits sont mentionnés dans l'interview?

1   Des bénévoles arrivent de tous les pays européens.
2   Robert Hue est frappé par l'élan de solidarité déployé.
3   Les bénévoles sont choqués par cette catastrophe.
4   La France ne doit pas avoir de navires qui transportent de produits dangereux.
5   Robert Hue pense qu'il faut que les pollueurs payent.
6   Les institutions européennes sont responsables de cette catastrophe.

Glossaire

la coque   hull

b   Ecoutez de nouveau l'enregistrement et répondez aux questions ci-dessous en français.

1   Qui est Robert Hue?
2   Pourquoi est-ce que de nombreuses personnes arrivent sur la côte?
3   Qu'est-ce que Robert Hue pense de cet élan de solidarité?
4   D'après lui, comment peut-on éviter une telle catastrophe?
5   Qui doit-être tenu responsable?
6   Quel est le rôle de l'Europe?

3 Agissons!

Choisissez une organisation environnementale et expliquez ce qu'elle fait et pourquoi vous la soutenez. (200 mots)
Pour vous documenter, n'oubliez pas de surfer le net! Servez-vous des idées suivantes.

L'organisation

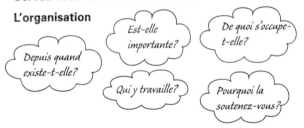

Est-elle importante?

De quoi s'occupe-t-elle?

Depuis quand existe-t-elle?

Qui y travaille?

Pourquoi la soutenez-vous?

Les raisons derrière votre choix

elle existe depuis ... elle a été créée en ...

très/assez/de moyenne importance

des bénévoles, des salariés ...

s'oppose aux essais nucléaires, protège les baleines (chasse baleinière) arrêt de l'immersion des déchets radioactifs ...

je pense/considère/estime que

il est important/nécessaire de ...

4 Pauvre planète

a Lisez les extraits suivants.

Pollution de l'air, couche d'ozone et effet de serre.

Il faut protéger la planète. J'évite de me déplacer en voiture. Je suis contre l'énergie nucléaire et les produits qui utilisent les CFC. Il faut aussi que l'on fasse attention aux feux de forêt. Tout cela contribue à l'émission de gaz toxiques dans l'atmosphère ce qui diminue la qualité de l'air. Et l'effet de serre se produit à cause des gaz contenus dans l'atmosphère, principalement le dioxyde de carbone. Il est évident que l'effet de serre est un phénomène nécessaire car sans lui la nuit serait beaucoup trop froide (environ -24°C) et le jour serait beaucoup trop chaud. L'effet de serre n'est bon que lorsque la quantité de gaz a un niveau acceptable. Autrement on assiste au réchauffement planétaire qui a pour conséquences de faire fondre de grandes quantités de glace. Les pluies diluviennes dont nous venons d'être témoins en sont la preuve.

Et bien sûr, si l'air est moins pur cela a des effets négatifs sur notre santé et celle des animaux.

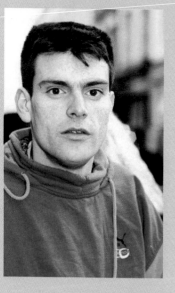

Les CFC sont émis par les aérosols et les réfrigérateurs. Ils constituent la plus grande menace pour l'ozone.

Attention: Danger! Diminution de l'épaisseur de la couche d'ozone (-1%) = augmentation des cancers de la peau (+4%).

Le problème de l'ozone ne me touche pas beaucoup. Je ne peux pas me passer de laque. Mes cheveux en ont besoin. Quant aux déodorants, ils sont indispensables. D'autre part, si j'ai une voiture c'est bien pour m'en servir.

Air = survie de tout organisme vivant
Couche d'ozone = couche de gaz qui filtre les rayons ultra-violets du soleil.
Effet de serre = certains rayons du soleil traversent l'atmosphère, d'autres sont renvoyés dans l'espace
Les gaz d'échappement, les feux de forêt, l'industrie, la combustion par les centres d'énergie électriques réduisent la qualité de l'air.

Différentes formes de pollution de l'air = Les pluies acides, le smog photochimique et industriel, la diminution de la couche d'ozone et l'effet de serre.

b Que veulent dire ces mots?
1. la survie
2. les gaz d'échappement
3. la couche d'ozone
4. l'effet de serre
5. la diminution
6. l'épaisseur
7. le niveau
8. le réchauffement planétaire
9. fondre

c Ces phrases sont-elles vraies ou fausses?
1. Les gaz d'échappement réduisent la qualité de l'air.
2. les pluies acides engendrent la pollution.
3. La couche d'ozone est un gaz qui empêche les rayons du soleil les plus dangereux de passer.
4. Les aérosols et les réfrigérateurs ne mettent pas la couche d'ozone en danger.
5. La diminution de la couche d'ozone est dangereuse pour la santé.
6. L'effet de serre est un refroidissement de la température de la terre.

5 Alerte à la pollution

a Ecoutez ce bulletin d'informations et remplissez les blancs.

Une alerte à la pollution de l'air de niveau 2 a été ...(1)... hier à Paris, Strasbourg, Lille et Lyon à cause de la vague de ...(2)... . L' ...(3)... du taux d'ozone a été provoquée dans la capitale par la transformation des ...(4)... sous l'effet de la chaleur, du soleil et de l'absence de vent. Cette situation pourrait persister aujourd'hui, Météo-France prévoyant du soleil sur la majeure partie du territoire et des températures élevées qui ...(5)... généralement 30 à 33 degrés.

Cependant les autorités parisiennes n'envisageront des ...(6)... spéciales que si la pollution continue à ...(7)... . En attendant, la mairie de Paris a simplement décidé la ...(8)... du stationnement résidentiel afin d'encourager le recours aux transports en commun.

Le «comité des victimes de la pollution de l'air» a estimé que les pouvoirs publics avaient atteint «le degré 0 de leur action» et lancé un appel au ministre de l'environnement pour qu'elle «passe à l'action».

b **SOS pollution. Travail individuel.**
Faites votre bulletin d'informations sur la pollution et enregistrez-vous. Vous pouvez vous inspirer des débuts de phrases ci-dessous.
Alerte à la pollution dans le département de ... , à ...
Ceci est dû à ... / au ...
Aujourd'hui, il y aura une nette amélioration / détérioration du temps ...
Les problèmes de pollution ...
Les autorités ont décidé de ...

Le saviez-vous?

- Le gouvernement français a créé la pastille verte pour lutter contre la pollution.
- La pastille verte est gratuite et les véhicules qui polluent le moins y ont droit.
- Les véhicules munis de la pastille verte ont le droit de circuler quel que soit leur numéro les jours de pic de pollution.
- La pastille verte doit être fixée sur le côté inférieur droit du pare-brise.

6 Avez-vous bien compris?

a Traduisez les mots suivants à l'aide du quiz suivant.
1 factories
2 exhaust fumes
3 nuclear plant
4 oil leak
5 greenhouse effect
6 to warm up
7 to prevent
8 harmful

b Lisez le quiz et choisissez vos réponses.
1 Qu'est-ce qui pollue le plus l'air?
   a les usines
   b les gaz d'échappement des voitures
   c les centrales nucléaires

2 Et l'eau?
   a les pesticides
   b la marée noire
   c les déchets

3 Qu'est-ce que l'effet de serre?
   a Le nom que l'on donne à la couche d'ozone.
   b Les gaz qui empêchent les rayons du soleil de sortir dans l'atmosphère, ce qui réchauffe la terre.
   c Le nom d'un gaz émis par les voitures.

4 Les CFC sont émis par
   a les pots catalytiques des voitures
   b les feux des forêts
   c les aérosols et les frigidaires

5 Qu'est-ce que la couche d'ozone?
   a C'est une couche de gaz qui filtre les rayons du soleil.
   b C'est une couche de gaz qui empêche les rayons du soleil de passer.
   c C'est une couche de gaz qui menace la terre.

6 Le trou dans la couche d'ozone est causé par
   a les réfrigérateurs et les aérosols
   b les pesticides
   c les fumées des usines

7 Pour lutter contre l'effet néfaste de la pollution, le gouvernement français a établi l'utilisation de
   a la vignette verte
   b la pastille jaune
   c la pastille verte

c Ecoutez la cassette et vérifiez vos réponses.

7 Les français et la nature

a **Lisez le texte ci-dessous et répondez aux questions qui le suivent.**

Comme tous les ans depuis environ dix ans le rapport annuel de l'IFEN vient de paraître. Les Français semblent inquiets et ils se sentent de plus en plus touchés par les problèmes environnementaux. Tout d'abord, 13% d'entre eux estiment que l'état de l'environnement de leur région est mauvais et 50% se préoccupent de celui du monde.

De tous les problèmes environnementaux, le problème qui attire aujourd'hui le plus de demandes d'intervention de la part des pouvoirs publics est, de loin, la réduction de la pollution atmosphérique, suivie de près par la pollution de l'eau qui inquiète aussi beaucoup. 37 % des personnes interrogées ont avoué être préoccupées par ce problème.

La protection de l'environnement touchent de plus en plus de Français. C'est ainsi que 48% seraient prêts à accepter que le développement économique soit mis au ralenti et 33% accepteraient d'avoir un niveau de vie plus faible pour protéger la nature.

Depuis ces dernières années, il y a eu une nette évolution dans le comportement de chacun. Ainsi, 69% des Français disent qu'ils pratiquent régulièrement le tri du verre, 46% qu'ils rendent automatiquement leurs médicaments non utilisés à leur pharmacien ... . Et toujours pour protéger l'environnement, 27% des personnes interrogées déclarent ne plus se servir de leur voiture individuelle mais des transports en commun.

On est, en somme, assez loin aujourd'hui de ce qui pouvait se passer dans les années 70. Les Français sont de plus en plus conscients de l'importance fondamentale de la protection de l'environnement et ils savent aussi que leur santé en dépend.

Mais il faut malheureusement se rendre compte d'une chose: la majorité des plus de 50 ans (plus de 70%) font très attention et protègent l'environnement quotidiennement (tri de déchets, emploi des transports publics ...), par contre les moins de 20 ans ne semblent pas s'en préoccuper outre mesure! Ils ne sont que 20% à agir ... .

Le saviez-vous?

Ce qui gêne le plus les riverains ...
* Les aéroports (52% des personnes interrogées)
* Les centrales nucléaires(15%)
* Les décharges d'ordures ménagères(12%)
* Les lignes à haute tension (2%)

b **Les phrases suivantes sont toutes fausses. Ecrivez une affirmation correcte pour chaque phrase.**
   1 L'IFEN publie un rapport tous les deux ans.
   2 La pollution atmosphérique n'inquiète pas beaucoup les Français.
      Les Français veulent que les pouvoirs publics interviennent en faveur de la réduction de la pollution atmosphérique.
   3 La pollution de l'eau préoccupe 37% des personnes interrogées.
   4 Les Français se sentent de moins en moins concernés par les problèmes de l'environnement.
   5 Les moins de 20 ans agissent davantage que les plus de 50 ans.

c **Traduisez les phrases suivantes en vous basant sur les phrases du texte.**
   1 French people are more and more concerned with the problems of pollution.
   2 Their big concern is the effects of air pollution.
   3 They want the authorities to act.
   4 More than half the French sort out glass from the rest of the rubbish.
   5 Many people use public transport instead of taking their car.
   6 More and more people are becoming aware of the need to protect the environment.

8 Exposé

En utilisant les textes que vous avez étudiés jusqu'à présent ou/et en faisant des recherches sur l'internet, préparez un exposé de 3 minutes sur l'un des sujets suivants:

a La protection de l'environnement: idée dans le vent ou nécessité?
b La planète en danger: comment voyez-vous l'avenir?
c Votre environnement et vous.

9 Quelles solutions?

Quels sont les avantages et les inconvénients des trois moyens alternatifs suivants?

A   B   C

A Si l'on veut protéger le monde dans lequel on vit, il faut que l'on pense sérieusement aux énergies renouvelables, c'est à dire l'énergie solaire, l'énergie éolienne ou énergie du vent ou encore l'énergie hydraulique. Je pense que l'énergie solaire est une promesse pour demain parce que c'est une source d'énergie propre et permanente qui peut pourvoir dans une large mesure à nos besoins énergétiques. Malheureusement, pour le moment elle est beaucoup plus coûteuse que les sources d'énergie conventionnelles.

B A mon avis, l'énergie éolienne a un avenir certain. C'est une énergie qui est conçue pour s'adapter aux aléas climatiques. Elle est en plein essor et il est encourageant de voir que les grands pétroliers comme BP ou Total commencent à investir dans les énergies propres.

C Moi je pense qu'il faut rouler propre! Avec la hausse du prix des carburants, peut-être que la voiture électrique saura enfin convaincre les automobilistes. Mais la voiture électrique souffre encore d'un handicap de taille: si ses performances en vitesse et en accélération sont aujourd'hui très honorables, sa faible autonomie la confine aux déplacements urbains. D'autre part, son prix est supérieur à celui d'une automobile classique.

Le saviez-vous?

La France est aujourd'hui le leader mondial de l'utilisation de voitures électriques.

10 L'énergie solaire

a   **Lisez les trois textes suivants.**

A   Pourquoi l'énergie solaire?

Toutes les formes d'énergie ont la même source. L'énergie du soleil se transforme constamment dans la végétation. Depuis l'aube des temps la terre ensevelit et transforme la flore et la faune de la planète en combustibles fossiles: le pétrole, le charbon, le gaz naturel. Malheureusement, s'il faut plus d'un demi-million d'années pour que la biomasse devienne du pétrole, il suffit de quelques secondes pour brûler cette énergie stockée pendant les millénaires.

En une seconde, le soleil fournit assez d'énergie pour satisfaire à tous les besoins actuels de l'humanité pendant 14 mois. Soit en un an, assez pour quatre siècles.

De même, les centrales nucléaires un peu partout dans le monde produisent non seulement de l'électicité pour nos besoins actuels de l'humanité, mais aussi des déchets qui restent dangereux pendant des dizaines de milliers d'années ...

B   Pourquoi changer d'énergie?

Notre niveau de consommation énergétique représente un poids insoutenable pour la planète qui ne fera que s'alourdir au fur et à mesure qu'un plus grand nombre des habitants de la Terre se mettent à consommer autant que nous.

La production mondiale d'électricité a triplé depuis 1960. Les pays industrialisés ne représentent que 25% de la population mondiale, mais consomment 80% de l'énergie.

La combustion des combustibles fossiles contribue à l'effet de serre - un des plus grands soucis de notre époque. La moitié de ce réchauffement planétaire est le résultat des émissions de gaz carbonique dont 85% sont le fait de l'homme.

Une des raisons majeures pour s'opposer au nucléaire, ce sont les déchets radioactifs et les coûts associés à la fermeture d'une centrale nucléaire sont 100 fois supérieurs aux frais de construction, ce qui illustre bien le prix caché de cette technologie irresponsable.

C Pourquoi le photovoltaïque ou énergie solaire?

Le photovoltaïque est une technologie qui a fait ses preuves. Elle existe et fonctionne déjà de façon fiable dans toutes les parties du monde.

C'est de l'électricité propre, non polluante.

Il n'y a pas de parties mobiles toujours sujettes à l'usure.

C'est une électricité produite entièrement silencieusement, et qui ne nécessite que très peu d'entretien.

Il suffit de quelques mois pour construire une centrale photovoltaïque.

Une fois les investissements payés, on produit de l'électricité gratuite. L'énergie solaire est gratuite! Il suffit d'acheter tout le matériel.

Les panneaux photovoltaïques sont idéaux pour de petites installations.

Ils ont une longue durée de vie.

On élimine les frais (et les risques) de transport associés avec le pétrole, le charbon, l'uranium et le plutonium.

b Trouvez le synonyme ou l'expression qui veut dire la même chose.

Texte A: le début du monde   enterre   procure   ce qui est nécessaire

Texte B: le fardeau   commencent   utiliser   préoccupations

Texte C: en qui on peut avoir confiance / enclins à s'abîmer / les placements / il n'y a que

c Ces phrases sont-elles vraies ou fausses? Relisez le texte A.

1 Le soleil est un facteur important dans la production des fossiles.

2 Il ne faut que quelques années pour que la biomasse se transforme en pétrole.

3 Il ne faut qu'une seconde au soleil pour procurer suffisamment d'énergie pour 14 mois.

4 Les déchets produits par l'énergie nucléaire resteront nocifs pendant très longtemps.

d Répondez aux questions suivantes en anglais en vous aidant du texte B.

1 Has the world production of electricity increased or decreased since 1960 and by how much?

2 What is the biggest worry of our time?

3 What are the main reasons against nuclear energy?

e Quels sont les avantages de l'énergie solaire? Vous trouverez la réponse dans le texte C. Utilisez vos propres mots.

11 Pour l'amour du vent

Dans l'Aude, région battue par les vents, se trouve la plus puissante centrale éolienne de France, capable d'alimenter en électricité une ville de 30 000 habitants.

Ecoutez Jean-Paul Boulze et répondez aux questions en anglais.

Glossaire

EDF: Electricité de France   French electricity board

1 What was Jean-Paul's job?
2 What happened after 18 years?
3 What is said about the county of Aude?
4 Why did Jean-Paul think that Sallèles-Cabardès was an ideal spot?
5 What did Jean-Paul need for his new venture?
6 Who helped him with that?
7 What is good about Sallèles-Cabardès?

12 Interview

Avec un partenaire, imaginez que vous êtes Jean-Paul et un journaliste. Le journaliste fait l'interview de Jean-Paul pour son journal. Parlez pendant au moins deux minutes.

13 A vos stylos

En vous servant du travail que vous avez fait précédemment et de l'Internet, vous écrirez un paragraphe pour le magazine français de votre école sur les solutions possibles aux problèmes de pollution. N'oubliez pas de parler des avantages et des inconvénients des différentes énergies et de dire celle que vous préférez.

énergie solaire   énergie éolienne
     énergie nucléaire
énergie hydrolique   voitures électriques

Grammaire

The relative pronouns

Qui = who, which or that. **Qui** relates to someone or something, which is the subject of the verb that follows.

Example: la centrale qui se trouve
the power station which is
(the power station - subject - is)

Que = whom, which or that.
Que / qu' relates to someone or something, which is the direct object of the verb that follows.

Example: la centrale éolienne que Jean-Paul a créée
the windmill which Jean-Paul created (Jean-Paul created the windmill - direct object)

Lequel = which. After prepositions (**avec, sans, pour, devant** ...) use **lequel** (masc.), **laquelle** (fem.), **lesquels** (masc.plur.) or **lesquelles** (fem.plur.).

Example: l'éolienne devant laquelle il est photographié
the windmill in front of which he is photographed

After the preposition **à**, use **auquel, à laquelle, auxquels** or **auxquelles**.
After the preposition **de**, use **duquel, de laquelle, desquels** or **desquelles**.

Example: La ville de laquelle il est originaire
The town he is from (= from which he is)

Dont = of which, of whom, whose.
Dont is used with verbs followed by **de: parler de, avoir besoin de, se servir de, se souvenir de** ... .

Example: la centrale dont il m'a parlé a été ravagée par une explosion
the power station he told me about (= of which he told me) was damaged by an explosion

Dont can also mean whose

Example: la ville dont tu connais le Maire
the town whose Mayor you know (= of whom you know the Mayor)

Ce qui, **ce que** and **ce dont** = what.
Like **qui**, **ce qui** refers to the subject of the verb.

Example: Ce qui est grave c'est ...   What is serious is ...

Like **que**, **ce que** refers to the object of the verb.

Example: Le gaz carbonique est responsable de ce que l'on appelle l'effet de serre
Carbon dioxyde is responsible for what is called the greenhouse effect

Like **dont**, **ce dont** refers to the object of a verb normally followed by **de**.

Example: c'est ce dont il se souvient
it is what he remembers

Exercice 1
Remplissez les blancs en utilisant ce qui, ce que / ce qu', ou ce dont.
a   Il existe un déplacement d'air chaud ... a pour effet de perturber le climat.
b   La cendre est ... permet à l'herbe de pousser.
c   L'avancée du désert est ... des milliers de personnes ont peur.
d   700 000 hectares de forêts est ... a brûlé au cours des 3 derniers mois.
e   El Niño est, ... affirment certains, responsable des incendies qui ravagent l'Amérique de Sud.
f   Les inondations sont ... les habitants redoutent.
g   ... il rêve, c'est de partir faire un voyage dans la forêt amazonienne.

Exercice 2
En vous aidant de votre travail précédent, traduisez les phrases suivantes en français.
1   Deserts are threatening to occupy 20% of the planet which makes the life of millions of people difficult.
2   The Sahara, now a desert, was once covered in lakes and forests.
3   In many African countries what farmers have to do is cultivate poor land.
4   What these people need particularly is wood in order to cook.
5   Fires which are damaging Asia and South America are not caused by El Niño.
6   Cinders are a fertiliser by which the land is made fertile.
7   Big mining companies clear out lands in which they are hoping to find gold, precious metal and precious stones.
8   Thousands of animal species whose identity is unknown to us live in tropical forests.

14 L'énergie nucléaire

Lisez le pamphlet écrit par l'organisation *Greenpeace* et répondez aux questions en anglais.

Le nucléaire c'est:

Le risque d'accident connu de tous, Tchernobyl en est le douloureux exemple. Des déchets qui s'accumulent depuis de nombreuses années et pour des siècles. Des rejets radioactifs permanents et autorisés dans l'environnement. Le risque de prolifération des armes nucléaires. Une certaine idée de la démocratie ...

Dangereux

Le nucléaire civil entraîne des pollutions radioactives, un risque permanent d'accident à la prolifération d'armes nucléaires.

Coûteux

C'est une réalité admise par tous. L'électricité nucléaire n'est pas compétitive et laisse la voie ouverte économiquement et ce, malgré les nombreuses sommes d'argent qui sont investies.

Et inutile

Le nucléaire ne participe qu'à hauteur de 6% au bilan énergétique mondial. Trop grandes, trop chères, les centrales électronucléaires ne sont pas adaptées aux besoins énergétiques.

1 Why has nuclear energy become a big issue?
2 What are the dangers of nuclear energy?
3 What about the economic costs of nuclear energy?
4 Why does Greenpeace think that nuclear energy is not worth it?

15 Pour ou contre?

La centrale nucléaire de Tchernobyl

Lisez les opinions suivantes et classez-les dans la bonne colonne:

Pour	Contre

A C'est une énergie qui est pratiquement inépuisable car elle utilise des ressources abondantes et qu'il y a de moins en moins de charbon et de pétrole.

B C'est une énergie qui comporte trop de risques: pour la santé, bien sûr, mais aussi pour la sécurité. Il y a toujours un risque de fuites de produits radio-actifs et d'explosion. Le problème du stockage des déchets est un problème croissant.

C La construction et l'installation des centrales nucléaires sont beaucoup trop coûteuses. D'autre part, la durée de vie d'une centrale est limitée.

D C'est une énergie qui, non seulement est importante pour la défense du pays, mais aussi qui assure l'indépendance de l'approvisionnement en énergie du pays.

E L'énergie nucléaire crée des emplois mais la création de ces emplois est limitée car il faut une main d'oeuvre qualifiée.

F Les centrales nucléaires défigurent le paysage et occupent de vastes étendues de terrain.

G C'est une énergie propre qui n'encrasse pas l'environnement.

16 Le téléphone sonne

Europe 1 a posé la question: l'énergie nucléaire, «pour ou contre?» à ses auditeurs. Ecoutez ce qu'ils ont répondu et notez en deux colonnes ce qu'ils pensent.

	Pour	Contre
Gérard		
Martine		
Louis		

17 Débat: L'énergie nucléaire, pour ou contre?

Stratégie

Before you start to take part in the debate:

*   Write in note form what you have learnt so far about nuclear energy.
*   Discuss but do not forget to use vocabulary and grammar points learnt so far.
*   Always give examples or reasons to support your argument.

a   **Divisez votre classe en deux:**
    Equipe A = pour l'énergie nucléaire
    Equipe B = contre l'énergie nucléaire

b   **Débattez sur ce sujet. L'équipe A commence. L'équipe B écoute et prend des notes.**
    L'équipe B exprime à son tour ce qu'elle pense. L'équipe A écoute et prend des notes.

c   **Chaque équipe essaie de détruire les arguments de l'autre équipe.**

1, Progression

Exemple:

Vous avez dit que les centrales n'encrassent pas l'environnement.

Oui peut-être mais elles sont tellement laides qu'elles défigurent le paysage!

N'oubliez pas d'utiliser des expressions telles que:
On va vous parler de …
Il faut ajouter le fait que …
Au contraire / en revanche
Je ne suis pas convaincu(e) par …
En bref
On ne peut pas nier que …
J'admets que … mais quand-même …
Certains pensent que …
Par conséquent
Je suis d'accord sur l'essentiel mais …
Je ne pense pas que + subjonctif
On a tort de croire que …
Supposons que …
Pour conclure, …

18 A vos stylos!

En utilisant ce que vous avez étudié précédemment, écrivez une dissertation de 250 mots environ sur le sujet suivant:
Peut-on justifier la construction de centrales nucléaires quand il y a autant de malheureux? Discutez.

Stratégie

Introduction: présentation du sujet; questions qu'il soulève.

Développement:
paragraphe 1: Les arguments contre
paragraphe 2: Les arguments pour
paragraphe 3: Opinion publique / mouvements écologiques

Conclusion: synthèse du problème
solutions possibles
votre opinion personnelle

Examen

Chacun peut agir au quotidien et de manière concrète pour une meilleure gestion des déchets.

La charte de l'écocitoyen est organisée par le ministère de l'Aménagement du Territoire et de l'Environnement et est appelée à se renouveler chaque année le premier week-end du printemps.

Lisez la charte et répondez aux questions qui suivent.

La récupération des déchets recyclables est déjà une réalité en France. Celle du verre est classique. Plus de 90% des français ont un conteneur à proximité de chez eux.

Le recyclage des bouteilles plastiques se développe aussi: déjà plus de 5000 points de collecte. Enfin, nos boites de conserve sont souvent triées, grâce à un aimant, dans les usines qui traitent les ordures (plus de $\frac{1}{4}$ des français sont déjà concernés).

On est écocitoyen 365 jours par an.
Chaque jour, l'écocitoyen préserve l'environnement grâce à des gestes simples.
L'écocitoyen apprend à jeter moins et à jeter mieux.

La question des déchets est quotidienne et touche très concrètement chacun de nous à la maison, à l'école pour les plus jeunes, dans le travail pour les adultes. 365 jours par an, nous achetons, consommons et utilisons des objets, des produits, leurs emballages dont nous jetons les déchets, 365 jours par an, lorsqu'ils sont hors d'usage.

L'écocitoyen cherche à produire le moins de déchets possible.

L'éco-citoyen fabrique de l'engrais naturel en compostant les déchets organiques dans son jardin.

L'écocitoyen apprend à trier ses déchets:
Il apporte le verre usagé jusqu'au conteneur le plus proche prévu à cet effet.
Il récupère les journaux, les revues et les papiers et va les jeter également dans des conteneurs spéciaux.

L'éco-citoyen n'oublie pas ses papiers gras derrière lui lorsqu'il se promène, pique-nique ou dans toute autre de ses occupations.

L'éco-citoyen ne se débarrasse jamais de ses déchets encombrants ou toxiques dans la nature, les terrains vagues ou sur les trottoirs.

L'éco-citoyen a recours pour ses gravats, ses résidus de jardinage et ses déchets encombrants à l'une des 900 déchetteries qui existent en France.

S'informer est un droit et un devoir.

a Choisissez la bonne réponse (a ou b).

1 Un emballage, c'est
   a une enveloppe qui protège, sert au transport ou à la présentation
   b une émission de gaz
2 Un aimant, c'est
   a Quelqu'un qui aime quelqu'un
   b C'est un corps qui a la propriété d'attirer le fer
3 Une déchetterie, c'est
   a un lieu où l'on jette les ordures
   b un lieu aménagé pour recueillir et traiter les déchets

(3 points)

b Lesquelles des phrases suivantes s'appliquent au texte? Corrigez celles qui ne sont pas vraies.

1 L'écocitoyenneté dure toute l'année.
2 Le problème des déchets ne concerne que les adultes.
3 L'écocitoyen ne se sert pas d'engrais chimiques mais recycle ses déchets organiques.
4 La moitié des français ont un conteneur de collecte de verre usagé près de chez eux.
5 L'écocitoyen doit jeter ses déchets de toutes sortes dans une usine qui traite les ordures.

(8 points)

2 Etes-vous écocitoyen?

Ecoutez Jérôme qui vous parle de ce qu'il fait en tant qu'écocitoyen.

a Remplissez les blancs du texte à trous.

La question des ...(1)...est une de celles sur lesquelles je peux ...(2)... de façon tout à fait pratique et à mon propre niveau en tant que ...(3) ... et en tant que ...(4)... Usager du ...(5)... des ordures ménagères je ...(6)... les déchets ...(7)... .
En tant que citoyen, je dois être acteur d'une meilleure gestion des déchets par des gestes simples, je peux en effet jeter moins et jeter mieux. Lorsque le choix existe, je préfère les ...(8)... qui créent le moins de déchets. Je donne ma préférence aux produits qui ont la marque NF Environnement. Dans mon jardin, je ...(9)... les résidus de mon jardin (feuilles mortes, tontes...) et une partie des déchets organiques de ma cuisine (épluchures, papier essuie-tout ...). De cette façon, j'...(10)... le sol de mon potager. J'évite de mélanger les matériaux et je respecte les consignes données pour la collecte sélective: je ne mets que du verre dans le ...(11)... réservé, j'ôte les bouchons des bouteilles etc.. Je ne ...(12)... pas de mégot sur la plage, de ...(13)... sur l'aire de pique-nique et de canette en forêt: risque de pollution, ...(14)... , les conséquences peuvent être graves. Car, par négligence, on a malheureusement vite fait de se donner le mauvais exemple les uns les autres, des adultes aux plus jeunes. Et les déchets attirant les déchets, la ...(15)... sauvage ne tarde pas à surgir.

(15 points)

b Ecrivez l'expression de l'extrait qui correspond le mieux aux expressions suivantes.

1 dans la mesure où
2 quand on a la possibilité de choisir
3 je préfère
4 ainsi
5 je fais en sorte de ne pas mettre ensemble
6 apparaît rapidement

(6 points)

c Répondez aux questions suivantes en français.

1 Que fait Jérôme des déchets recyclables?
2 Quels emballages préfère-t-il?
3 Que composte-t-il?
4 Que ne jette-t-il pas sur la plage?
5 Pourquoi est-ce qu'il est dangereux de jeter une canette en forêt?

(5 points)

d Traduisez ces phrases en Français.

1 As a consumer, I want to act to protect the environement.
2 As a citizen, I should learn to use bottle banks.
3 If I had the choice, there would be less packaging.
4 By using compost, I improve the soil of my vegetable garden.
5 Waste causes more waste and should be got rid of quickly.

(10 points)

e Interview
Avec un partenaire: imaginez que vous êtes Jérôme et un(e) de ses copains(ines) que l'environnement n'intéresse pas beaucoup. Vous discutez pendant environ deux minutes.

(10 points)

«De cette façon, j'entretiens le sol de mon potager.»

3 Les animaux en voie de disparition

Lisez l'article suivant et répondez aux questions.

Il y a, à travers le monde, de plus en plus d'espèces d'animaux en voie de disparition. Il n'y a pas une classe d'animaux bien précise, mais tous peuvent être touchés, que ce soit les mammifères, les poissons ou les oiseaux. Heureusement, des associations ont été créées depuis plusieurs années pour les protéger.

Quelles sont les raisons de leur disparition?

Les causes sont très nombreuses. Elles peuvent être naturelles, comme la sécheresse, les incendies ou le manque de nourriture. Mais c'est surtout à cause des hommes que ces animaux disparaissent. Les mers et les forêts sont saccagées, polluées et détruites. Les animaux sont chassés pour leur peaux, leurs dents, leurs écailles, leurs plumes ou leur graisse, juste pour fabriquer des habits, des chaussures, des bijoux, des produits de maquillage

Certains animaux sont également utilisés dans les laboratoires pour les recherches scientifiques. Mais il faut avouer que parfois ces sacrifices sont utiles car pour quelques animaux sacrifiés, des millions d'hommes sont sauvés.

Et quelles sont les mesures de protection?

Dans certains pays, des réserves naturelles ont été créées. Des centaines de personnes sont chargées de surveiller et de soigner les animaux. Ils sont également là pour éviter les massacres par les braconniers.

Dans d'autres pays, on réintroduit des animaux dans leur milieu naturel. Malheureusement, cela a causé beaucoup de problèmes car il ne faut pas oublier qu'ils restent des animaux sauvages malgré leur protection par les hommes. Il arrive souvent que ces animaux chassent et tuent des animaux domestiques comme les moutons, les chèvres ou les vaches par instinct de survie et les bergers s'en plaignent.

Le plus important pour les protéger c'est d'éviter le braconnage en refusant d'acheter tous produits dérivés de ces animaux. Nous devons les respecter et ne pas les maltraiter. Et surtout, il ne faut pas détruire ou polluer leur milieu naturel et la planète en général car n'oublions pas que ce sont les enfants d'aujourd'hui qui font la planète de demain.

a **Ecrivez la phrase ou l'expression de l'extrait qui correspond le mieux aux expressions suivantes.**
1 qui ont tendance à s'éteindre
2 manque de pluie
3 ce qui recouvre la peau des poissons et des reptiles
4 personne qui chasse et pêche sans permis ou avec des engins interdits

(4 points)

b **Répondez aux questions en anglais.**
1 Which animals are in danger of becoming extinct? (3)
2 What are the natural causes which threaten animal extinction (3)
3 Why are some wild animals hunted by man? (5)
4 What products are created by man from animal remains? (4)
5 According to the author, are animal experiments useful to man? (2)
6 What are the recommendations made at the end of the extract? (3)

(20 points)

4 Les Dauphins

Ecoutez cet extrait de documentaire qui fait état de la pollution des mers.

a **Ecrivez l'équivalent de ces expressions:**
1 an important threat (1)
2 domestic waste (1)
3 a virus caused by pollution killed more than 6000 dolphins (1)
4 At present, it is impossible to know how many dolphin species are threatened. (2)

(5 points)

b **Répondez aux questions en français.**
1 Où aboutissent tôt ou tard les polluants rejetés dans la nature? (1)
2 Quelles sont les sources de pollution? (5)
3 Quelles sont les régions du monde les plus touchées? (3)
4 Combien de dauphins ont été tués par la pollution en 1990? (1)
5 Pourquoi de plus en plus de dauphins échouent-ils sur les côtes françaises? (5)

(15 points)
Total: 20 points

5 L'énergie nucléaire

a Lisez les deux textes suivants.

Réparations à Tchernobyl

Des fissures apparaissent sur la protection de béton du réacteur abîmé de Tchernobyl et cette protection risque de s'écrouler.

Fin des années 80: un réacteur de la centrale nucléaire de Tchernobyl, en Ukraine, explosait. Aujourd'hui, des travaux consolident la protection de ce bâtiment.

Le 24 avril 1986, en Ukraine, le réacteur n.4 de la centrale nucléaire de Tchernobyl explose. Cette explosion permet alors à des poussières radioactives de s'échapper de la centrale et de contaminer toute la région. Plus de 4 millions de personnes vivent en Ukraine, en Russie et en Biélorussie, régions touchées par la radioactivité. L'Europe, y compris la France, n'est pas épargnée car le vent a éparpillé ces poussières un peu partout.

Pour empêcher une contamination générale, le réacteur n.4 a été couvert de plusieurs tonnes de béton. Mais cette protection se craquèle. C'est pourquoi des travaux ont commencé pour renforcer le béton et éviter que la protection ne s'effondre.

Des entreprises américaines et françaises aident l'Ukraine qui n'est pas assez riche à réaliser ces travaux. C'est ainsi que les 7 pays les plus riches du monde ont promis de financer les travaux pour que la centrale de Tchernobyl soit moins dangereuse. Ces travaux dureront 8 ans et il faudra ensuite enlever les déchets radioactifs restés dans le réacteur. En effet, ils pénètrent petit à petit dans le sol.

Et finalement, l'Ukraine espère que les autres pays l'aideront financièrement à bâtir une nouvelle centrale qui l'approvisionnera en électricité dont elle a besoin. Et Tchernobyl pourra enfin fermer.

Le nucléaire de l'avenir

À partir de 2010, il se pourrait que la France soit équipée de nouveaux réacteurs électronucléaires.

Avant la fin de l'année, le gouvernement français devrait prendre une décision importante quant à l'avenir de la production d'électricité d'origine nucléaire. Il devrait décider en effet d'accorder ou non le projet de réacteur européen EPR (European Pressurised water Reactor = Réacteur européen à eau sous pression). Ce projet franco-allemand devrait permettre la construction d'un nouveau type de réacteur. Ce nouveau type de réacteur remplacerait ceux qui fonctionnent actuellement dans les centrales qui produisent de l'électricité.

Les constructeurs de ce réacteur du futur disent qu'il aura beaucoup plus de puissance que les réacteurs actuels. Il serait le réacteur civil le plus puissant jamais construit dans le monde. En outre, il durerait plus longtemps: 60 ans alors que les réacteurs actuels ne durent que 40 ans.

Le débat est ouvert. Si l'on en croit les experts, l'EPR serait moins dangereux et il y aurait dix fois moins de risque d'accident que sur les réacteurs nucléaires actuels. De plus, l'EPR permettrait de baisser le prix de fonctionnement des centrales. Mais tout le monde n'est pas convaincu. Les écologistes rejettent toute idée associée au nucléaire et refusent d'avance que la France commence à installer une nouvelle génération de réacteurs.

Tandis que le reste du monde abandonne petit à petit cette forme d'énergie, la France reste un des derniers pays à soutenir le nucléaire.

b Lequel de ces textes fait référence?
1 au gouvernement français
2 à un nouveau type de réacteur
3 à la contamination d'une région
4 à la durée de longévité des réacteurs
5 à une centrale nucléaire
6 au risque d'accident
7 aux déchets radioactifs

(7 points)

c Travail à deux: Choisissez chacun(e) un des 2 textes précédents et relisez le. Essayez de donner le plus de détails possibles sur ce que vous avez lu à votre partenaire sans regarder le texte.

(10 points)

d Recherche sur internet: Recherchez des informations sur une des centrales nucléaires françaises et écrivez un paragraphe de 100 mots environ.

(20 points)

Extra

1 Prédictions

a Avant d'écouter la cassette, faites six prédictions: comment voyez-vous l'avenir?

Dans cinquante ans, les voitures seront interdites en ville.

b Ecoutez ces jeunes faire des prédictions sur l'avenir de la planète et écrivez leurs prédictions comme vous les entendez. Combien de prédictions avez-vous en commun avec ces jeunes?

2 Dans cinquante ans ...

a Lisez le texte: La tempête de Noël 1999 était-elle un signe avant-coureur?

Climat: ce qui nous attend

Les Alpes sont paralysées. On vient de l'annoncer au journal télévisé de 20 heures. Sur les images, on voit les gens de la montagne, sous la bruine - cet hiver encore, il n'arrête pas de pleuvoir.

Exploitants de remontées mécaniques en faillite, hôteliers, anciens pisteurs ... . Tout le monde converge vers les préfectures en scandant des slogans contre ces politiques qui, depuis bientôt un demi-siècle, sont incapables de prendre des mesures efficaces pour lutter contre le réchauffement du climat.

A Val-d'Isère, à Chamonix, on ne manifeste pas. Même si on a été obligé de fermer la Mer de Glace aux skieurs (le glacier, qui a perdu la moitié de son épaisseur en cinquante ans, est devenu trop instable), en haute altitude la neige est toujours là. Ce sont les stations situées entre 1 000 et 1 400 mètres qui agonisent. Cela fait des années qu'on n'y voit plus, l'hiver, qu'une herbe jaunie balayée par la pluie. Les nouvelles sont déprimantes en ce 15 janvier 2050. Une nouvelle tempête approche des côtes bretonnes. Méchante, avertit Météo France: des vents qui devraient souffler à 200 kilomètres-heure. Ce sont des pudiques, à la météo. Ils parlent toujours de tempêtes, jamais d'ouragans [...].

Tout cela à cause de ces températures qui montent, qui montent. A la fin du siècle dernier, les scientifiques avaient lancé des prédictions: si la concentration de gaz carbonique doublait dans l'atmosphère, les températures moyennes sur la planète devraient augmenter de quatre degrés au cours du XXI siècle ... à cause de l'effet de serre [...].

Aujourd'hui, c'est la guerre de la voiture, en Chine surtout. Il y a des émeutes dans les campagnes pour défendre le droit de posséder une automobile. Les dirigeants essaient d'expliquer le risque de quelques degrés supplémentaires pour une planète qui souffre déjà bien trop des caprices d'El Niño, responsable d'étés torrides et d'incendies catastrophiques dans cette partie du monde. Mais rien n'y fait. On apprend que les chinois n'entendent pas renoncer à la voiture et à ses pollutions [...].

D'autre part, l'habitat de certains animaux est en train de disparaître. Il y a de moins en moins de crocodiles sur les bords du Nil ou ailleurs. Le morse n'a plus assez de glace, le saumon sauvage se réfugie jusqu'en mer de Béring pour trouver les eaux qui conviennent. Les coraux ont du mal à s'adapter à la température des océans [...].

Mais soyons honnêtes, c'est notre sort à nous, les hommes, qui nous préoccupe le plus. Les scientifiques ont beau nous dire depuis 50 ans que la montée des eaux marines n'exédera pas 50 centimètres sur la durée de ce XXI siècle, comment ne pas paniquer quand on apprend, comme le mois dernier, que deux icebergs grands comme la Hollande se sont détachés de la pointe ouest de l'Antarctique? Il paraît que pour l'instant l'Antarctique tient bon. Jusqu'à quand?

b Complétez le tableau ci-dessous

Nom	Adjectif	Autre mot de la même famille
	efficace	
réchauffement		
épaisseur		
	haute	
	nouvelle	
	honnête	

c Répondez aux questions à choix multiple.

1 Cette année encore
  a il neige beaucoup
  b il pleut énormément
  c il ne pleut plus beaucoup

2 Les hommes politiques
  a sont accusés de ne pas faire grand-chose pour combattre l'effet de serre
  b pensent que le climat va se réchauffer
  c répriment les manifestants

3 Les stations de sport d'hiver en moyenne altitude
  a ont toujours beaucoup de neige
  b ont des glaciers deux fois moins gros
  c sont dépourvues de neige

4 Les Chinois
  a sont prêts à ne plus avoir de voitures
  b se battent pour pouvoir avoir une voiture
  c ne pensent pas que les voitures soient responsables de la pollution

5 La faune
  a ne s'adapte pas facilement à son environnement
  b tend à disparaître
  c a besoin d'eau

6 Pendant le XXI siècle, la montée des eaux marines
  a devrait dépasser 50 centimètres
  b ne devrait pas être supérieure à 50 centimètres
  c ne devrait pas être inférieure à 50 centimètres

3 Concours

Lisez le poster ci-dessous. *Europe 1* a organisé un concours auquel peuvent participer tous les jeunes européens qui apprennent le français. Il y a de nombreux prix si vous décidez de participer.

Concours

Dans le cadre de son programme de sensibilisation des jeunes à leur environnement, la station de radio Europe 1 organise un concours dont les prix sont les suivants:

■ **Premier prix:** séjour d'une semaine à Paris

■ **Deuxième prix:** un caméscope

■ **Troisième prix:** un appareil-photo

Et une multitude d'autres prix

Les lycéens intéressés doivent écrire une histoire intitulée «Le monde dans cinquante ans». Dans cette histoire, ils devront, bien sûr, parler de l'environnement et dire comment ils voient l'avenir.

Vous pouvez envoyer soit un mail à: cathy.nivez@europeinfos.com soit une lettre à l'adresse suivante:

Europeinfos, 11, rue de Cambrai, 75019 Paris

Chapitre 2: Bonjour l'Europe

Pages	Thèmes	Grammaire	Compétences
27–29 Départ	L'Europe Les stéréotypes L'Europe et les jeunes	Révision des adjectifs Révision de la forme interrogative Révision du subjonctif	Elargir sa connaissance de l'Europe Donner son opinion sur l'Europe Utiliser correctement les lettres majuscules
30–39 Progression	La naissance de l'Europe La France pendant la deuxième guerre mondiale *Un sac de billes* de Joseph Joffo L'Union Européenne Le programme: Erasmus / Socrate Travailler en Europe	Le genre des noms: révision et extension Les articles définis et les articles indéfinis: révision	Comprendre un reportage Ecrire un reportage Prendre des notes Eviter les fautes d'orthographe de mots français qui ressemblent aux mots anglais Ecrire une lettre pour trouver un travail en Europe
40–43 Examen	Les jeunes et l'Europe Ouverture sur l'Europe L'euro		Examen blanc
44–45 Extra	*Provence toujours* de Peter Mayle		

Parlement européen

Départ

1 Connaissez-vous l'Europe?

a **Répondez aux questions suivantes en français. Faites des recherches sur l'Internet ou dans une encyclopédie pour vous informer davantage.**
1 Quelle est la capitale de l'Allemagne?
2 Quelles langues parle-t-on en Suède?
3 Depuis quand le Royaume-Uni est-il membre de l'Union européenne?
4 Où se trouve le parlement européen?
5 Combien de pays ont signé le traité de Maastricht?
6 Quels sont les pays qui partagent une frontière avec la France?
7 Comment s'appellent les montagnes situées dans le sud-ouest de la France?
8 La Corse appartient à quel pays européen?
9 La Grèce est-elle déjà membre de l'UE?
10 Comment s'appellent les habitants de la Belgique?

b **Interrogez votre partenaire! Complétez les questions suivantes et puis posez-les à un(e) de vos camarades de classe.**
Attention! Il faut poser une question à laquelle vous connaissez la réponse! Questions 8, 9 et 10 sont entièrement à vous!
1 Quelle est la capitale de ... ?
2 Quelle(s) langue(s) parle-t-on en ... ?
3 Depuis quand ... membre de l'Union Européenne?
4 Où se trouve ... ?
5 Combien de pays ... ?
6 Quels sont les pays qui partagent une frontière avec ... ?
7 Comment s'appellent les gens qui habitent en ... ?
8 ... ?
9 ... ?
10 ... ?

2 Du vin belge et des chocolats irlandais?

a **Lisez cette liste de produits avec votre partenaire.**
Sans trop y réfléchir, quelle nationalité européenne vous vient d'abord à l'esprit?

Exemple: Le vin français

Attention aux accords!
français - française   espagnol - espagnole
italien - italienne   etc.

Grammaire (Rappel!)

L'accord de l'adjectif, voir p128.
1 Les voitures ... ?
2 La mode ... ?
3 La musique ... ?
4 La bière ... ?
5 Les vacances ... ?
6 Le pain ... ?
7 Le fromage ... ?
8 Les chaussures ... ?
9 Les montres ... ?
10 Le chocolat ... ?

Stratégie

How to decide whether to use a capital letter (majuscule) or a small letter (minuscule) when writing countries and nationalities:
Pays (nom) = majuscule
l'Espagne
la Grèce
la France
Nationalité / langue (adjectif) = minuscule
le vin français
une voiture allemande
des chocolats belges
un mot italien
Nationalité (nom) = majuscule
Les Français mangent beaucoup de pain
Langue (nom) = minuscule
Je ne parle pas italien
L'anglais est assez facile

b **Complétez ce reportage pour justifier votre choix. Attention! pays ou nationalité? nom ou adjectif?**

L'échange commercial en Europe est devenu très important. Par exemple, on voit partout en Europe des voitures ...(1)... et qui n'a jamais pensé à partir en vacances en ...(2)... . Dans un supermarché en ...(3)... on trouve des fromages ...(4)... des chocolats ...(5)... et bien sûr énormément de vin ...(6)..., mais on préfère boire de la bière ...(7)... . Dans les magazines on lit des articles sur la mode ...(8)... et on aime bien acheter des chaussures ...(9)... quand on part en ...(10)... . Les meubles ...(11)... sont très populaires en ...(12)... parcequ'ils sont modernes et bon marché. Mais, quand on achète un CD, on a toujours tendance à préférer la musique pop chantée en ...(13)... .

3 Comment nous voient les autres?

Nous savons que les stéréotypes nationaux existent. Les différentes nationalités européennes ont-elles des caractéristiques particulières?

a Lisez les adjectifs suivants et mettez-les dans une des quatre colonnes:

le Français	le Britannique	l'Allemand	l'Italien

arrogant
sportif
avare
chic
gourmand
bavard
extraverti
tolérant
poli
insouciant
détendu
technicien

intraverti
vaniteux
scientifique
paresseux
accueillant
intelligent
riche
intolérant
romantique
renfermé
ouvert
organisé

prudent
fier
agressif
dominant
timide
marrant
sensible
raisonnable
sérieux
animé
sociable
élégant

b Comparez votre liste avec celle de votre partenaire et essayez de trouver d'autres traits caractéristiques. Ecrivez ensemble un paragraphe pour justifier l'opinion que vous avez. Pour montrer que vous parlez de stéréotypes utilisez des expressions telles que celles qui suivent:

Les Britanniques sont considérés comme des gens ...
On dit que ...
Beaucoup de gens trouvent que ...
Les ... peuvent donner l'impression d'être ...
On pourrait croire que ...
Il semble que (+ subjonctif) ...
Je ne pense pas que (+subjonctif) ...

Grammaire (Rappel!)

La formation du subjonctif: voir p.145

c Lisez votre reportage devant la classe.

4 Mais non! on n'est pas tous pareils 📼

Ecoutez ces jeunes qui discutent des stéréotypes.

a Complétez la grille pour résumer l'opinion de chaque personne:

Nom	Européens mentionnés	Caractéristiques mentionnées	Conclusion
Jean-Louis	Français Belges	intelligent romantique sensible sérieux	Jean-Louis pense qu'il-n'y a pas vraiment de stéréotype national
Karine			
Loïc			
Isabelle			

b Ecoutez de nouveau l'enregistrement et écrivez les phrases qui pourront vous permettre de donner votre opinion sur un sujet à discuter. Puis, avec un(e) partenaire, discutez des stéréotypes européens. Dites si vous êtes d'accord avec Jean-Louis, Karine, Loïc ou Isabelle et essayez de donner des exemples. Préparez une présentation de 3 minutes que vous ferez devant votre classe.

c Ecrivez trois ou quatre phrases pour exprimer votre opinion sur chacune des propositions suivantes. Justifiez votre opinion et donnez des exemples. Faites des recherches si nécessaire:

Les Français sont paresseux de nature!

Je n'ai jamais rencontré d'Anglais romantique!

L'Italien typique est vaniteux et obsédé par les femmes!

Les Suédois sont froids mais très sportifs et intelligents!

Les Belges! Ils mangent beaucoup de frites et boivent beaucoup de bière!

5 L'Europe des jeunes

**Les jeunes, sont-ils vraiment intéressés par l'Europe?
Que représente l'Europe pour eux?
Ecoutez ce que disent ces jeunes Français et faites les
exercices qui suivent.
Vous allez entendre Sylvain, Jeanne et Pierre-Jean.**

Le saviez-vous?

Fin du franc: le premier janvier 2002.
Aucun signe distinctif national sur les billets: dans le porte-
monnaie des Européens: huit sortes de pièces et sept types
de billets en euros, portant des motifs architecturaux au lieu
de la traditionnelle célébrité et cantonnant les symboles
nationaux à une seule face des pièces.
• Sept coupures de 5, 10, 20, 50, 100, 200 et 500 euros.

6 Et vous, qu'en pensez-vous?

**a Posez cinq questions à votre partenaire sur l'Europe.
Vous pourrez vous inspirer de l'exemple ci-dessous et
de l'enregistrement précédent.**

Partenaire A	Partenaire B
Que penses-tu de l'Europe?	Je pense que c'est une bonne chose / je ne sais pas grand-chose
Te sens-tu européen?	Pas vraiment / tout à fait parce que ...
Que représente l'Europe pour toi?	C'est pouvoir ...
L'euro, c'est une bonne idée? Pourquoi?	Oui, car on ne perdra plus au change ...
Quels sont les avantages d'une Europe unie?	Plus de guerre, libre circulation entre les pays ...

a Qui ...
  1 est très positif en ce qui concerne l'Europe?
  2 est positif mais a des réservations?
  3 est très négatif?
  4 n'a jamais visité ni Strasbourg ni Bruxelles?
  5 a visité Strasbourg mais pas encore Bruxelles?
  6 a vu les deux villes?
  7 n'a aucune idée de la structure européenne?
  8 aimerait trouver un emploi à la Commission?
  9 parle de la paix que l'Europe a assurée?
  10 pense qu'une Europe unie est importante pour
  l'avenir?

**b Ecoutez encore la cassette pour trouver l'équivalent
des phrases suivantes:**
  1 Il me semble qu'il y a beaucoup de gaspillage dans la
  Commission européenne.
  2 Existe-t-il une banque européenne?
  3 Je suis déjà allé à Strasbourg.
  4 Quand les gens sont unis on minimise le risque de
  conflit.
  5 Je me considère Français, un point c'est tout.

**b Bernard a écrit ce qu'il pense de l'Europe.
Malheureusement les mots ne sont pas dans le bon
ordre. Réécrivez le paragraphe en mettant les mots
dans le bon ordre.**

Exemple: est moi un l'Europe passionnant pour sujet
Pour moi, l'Europe est un sujet passionnant.

est moi un l'Europe passionnant Pour sujet. avenir
Après notre tout c'est. aussi enfants de c'est nos Mais
l'avenir. pense qu'avec sincèrement l'Europe Je, paix
une la sera réalité. la atrocités deuxième mondiale ne
de se reproduiront guerre plus Les. l'Euro Et, alors!
idée géniale C'est une. pense ne plus on changer que
son l'on avant devra d'aller un dans argent Quand
pays étranger ... . manière ne on plus perdra au De
change cette.

**c Ecrivez un paragraphe de 100 mots sur ce que vous
pensez de l'Europe.**

Progression

1 La naissance de l'Europe

a Lisez à haute voix et tour à tour avec votre partenaire cette courte histoire de la Deuxième Guerre Mondiale et de la France après la guerre.

Date	Evénement
Septembre 1939	Invasion de la Pologne par Hitler et début de la guerre
Mai-juin 1940	Offensive allemande en Belgique, aux Pays-Bas et en France
22 juin 1940	Signature par la France de l'armistice avec l'Allemagne
Août 1941	Signature de la charte de l'Atlantique par la Grande-Bretagne et les Etats-Unis
7 décembre 1941	Bataille de Pearl Harbour
8 décembre 1941	Les Etats-Unis déclarent la guerre au Japon
Juin 1944	Libération de Rome par les Alliés
6 juin 1944	Débarquement des armées alliées en Normandie Fin 1944 Libération de la France
8 mai 1944	Capitulation de l'Allemagne
Juin 1947	Plan Marshall pour le rétablissement économique de l'Europe
1949	Création de la RFA et de la RDA
1957	Traité de Rome créant la CEE

Glossaire

RFA	République fédérale Allemande
RDA	République démocratique Allemande
CEE	Communauté économique européene (suivie de la **CE**: Communauté européenne et de l'**UE**: Union européenne)

b Ecrivez 5 ou 6 phrases pour décrire quelques-uns des événements de la liste ci-dessus.
Lisez le texte à votre partenaire et essayez de ne pas hésiter quand vous arrivez à une date.

2 L'Europe occupée

a Ecoutez cette explication de l'occupation de l'Europe par les nazis et complétez ces phrases pour avoir un résumé du passage.
   1 Pendant la deuxième guerre mondiale, seulement ... pays européens n'ont pas été occupés par les Allemands.
   2 Les pays non-alliés n'avaient pas le droit de garder leur propre ... .
   3 L'Alsace-Lorraine, l'Autriche, une partie de la Tchécoslovaquie et de la Pologne faisaient partie du Grand Reich formé par ... .
   4 Il y avait dans ces régions ... des populations germaniques ... d'importantes minorités allemandes.
   5 La ... de la France était un peu différente.
   6 La moitié ... et la côte ... étaient occupées par les Allemands.
   7 La moitié ... restait libre, ... par le gouvernement de Pétain.

b Ecoutez la cassette encore une fois et répondez en français à ces questions:
   1 Pourquoi est-ce que certains pays ont-ils gardé plus d'autonomie que d'autres?
   2 Comment Hitler appelait-il l'étendue de l'Allemagne qu'il avait construite?
   3 Pourquoi la situation de la France était-elle particulière?
   4 Quel était le titre militaire du chef du gouvernement Pétain?

Le saviez-vous?

Beaucoup de villes françaises ont été inspirées par les évènements et les héros de la guerre en choisissant les noms de rues. Partout en France on voit:
- Rue du 8 mai
- Place de la Libération
- Avenue Jean Moulin (Jean Moulin était un des chefs de la Résistance)

a Ecoutez ce professeur d'histoire qui explique à ces élèves de première ce qu'était la collaboration et la résistance en Europe et en France pendant l'occupation. Trouvez l'équivalent de ces expressions.

1   devant l'occupation par les armées allemandes …
2   à sauvegarder l'autorité des nazis …
3   se forment des groupes de résistance …
4   sont exilés dans des camps ou tués.
5   dès juin 1941

b Ecoutez encore une fois. Prenez des notes. Essayez de résumer oralement l'explication en vous servant des termes qui vous sont donnés ci-dessous comme aide-mémoire. Utilisez le présent pour donner un sens dramatique.

Occupation
Réactions
Collaborations – idéologiques – par intérêt
Domination nazie - pays occupés
Refus d'accepter la dictature nazie
Mouvements de résistance
Actions de sabotage
Renseignements aux alliés
Déportés / fusillés
France
Général de Gaulle
Zone sud – lutter contre la collaboration
Zone nord – action contre l'ennemi
Parti communiste
Substitution au régime de Vichy

4 Témoignage

a Lisez ce passage extrait *d'Un sac de billes* de Joseph Joffo. Joseph et Maurice Joffo sont deux enfants juifs qui habitent à Paris avec leurs parents. La vie à Paris devient trop dangereuse pour les Juifs et leur père décide de les envoyer rejoindre leurs frères aînés qui habitent dans le sud de la France, en zone libre.

– Vous ne pouvez plus revenir à la maison tous les jours dans cet état, je sais que vous vous défendez bien et que vous n'avez pas peur.
Je sentais une boule monter dans ma gorge mais je savais que je ne pleurerais pas, la veille peut-être encore mes larmes auraient coulé mais à présent, c'était différent.
– Vous avez vu que les Allemands sont de plus en plus durs avec nous. Il y a eu le recensement, l'avis sur la boutique, les descentes dans le magasin, aujourd'hui l'étoile jaune, demain nous serons arrêtés. Alors il faut fuir.
Je sursautai.
– Mais toi, toi et maman?
Je distinguai un geste d'apaisement.
– Henri et Albert sont en zone libre. Vous partez ce soir. Votre mère et moi réglons quelques affaires et nous partirons à notre tour.
Il eut un léger rire et se pencha pour poser une main sur chacune de nos épaules.
– Ne vous en faites pas, les Russes ne m'ont pas eu à sept ans, ce n'est pas les nazis qui m'épingleront à cinquante berges.
Je me détendis. Au fond, on se séparait mais il était évident que nous nous retrouverions après la guerre qui ne durerait pas toujours.
– A présent, dit mon père, vous allez bien vous rappeler ce que je vais vous dire. Vous partez ce soir, vous prendrez le métro jusqu'à la gare d'Auzterlitz et là vous achèterez un billet pour Dax. Et là, il vous faudra passer la ligne. Bien sûr, vous n'aurez pas de papiers pour passer, il faudra vous débrouiller. Tout près de Dax, vous irez dans un village qui s'appelle Hagetmau, là il y a des gens qui font passer la ligne. Une fois de l'autre côté, vous êtes sauvés. Vous êtes en France libre. Vos frères sont à Menton, je vous montrerai sur la carte tout à l'heure où ça se trouve, c'est tout près de la frontière italienne. Vous les retrouverez.
La voie de Maurice s'élève.
– Mais pour prendre le train?
– N'aie pas peur. Je vais vous donner des sous, vous ferez attention de ne pas les perdre ni de vous les faire voler. Vous aurez chacun cinq mille francs.
Cinq mille francs!
Papa n'a pas fini, au ton qu'il prend je sais que c'est le plus important qui va venir.
- Enfin, dit-il, il faut que vous sachiez une chose. Vous êtes juifs mais ne l'avouez jamais. Vous entendez: JAMAIS.

b Travail de verbes. Catégorisez tous les verbes du texte selon leur temps (imparfait / futur etc.) Trouvez aussi des exemples d'impératif.

c Imaginez que vous êtes un enfant juif pendant la guerre. Ecrivez votre journal (environ 250 mots). Parlez de:

a la séparation d'avec vos parents
b vos émotions et votre peur de l'avenir
c le voyage jusqu'à la ligne de démarcation: le train, les contrôles de passeports etc. …
d les mensonges: ne pas avouer que vous êtes juifs

d Choisissez un aspect de la guerre. Faites des recherches sur l'Internet (http://fr.yahoo.com/) ou dans des livres et faites une présentation devant la classe (trois minutes environ). Essayez d'utiliser une variété de temps et essayez aussi de communiquer les émotions de l'époque.

5 L'Union Européenne

a   Lisez le texte ci-dessous:

40 ANS D'HISTOIRE

Née de la volonté de garantir une paix durable, la construction européenne s'est concrétisée après la Seconde guerre mondiale.

1950: Le 9 mai 1950, Robert Schuman, ministre français des Affaires étrangères, propose la mise en commun des ressources en charbon et acier de la France et de l'Allemagne dans une organisation ouverte aux autres pays d'Europe. Quatre autres pays répondent à l'appel. L'Allemagne, la France, la Belgique, l'Italie, le Luxembourg et les Pays-Bas créent la première communauté européenne: la Communauté économigue du charbon et de l'acier (CECA).

1957: En 1957, les six pays signent le traité de Rome qui donne naissance à la Communauté économique européenne (CEE).
Neuf pays les rejoignent.

1   le Danemark, l'Irlande et le Royaume-uni en 1973
2   la Grèce en 1981
3   l'Espagne et le Portugal en 1986
4   l'Autriche, la Finlande et la Suède en 1995

En **1992**, la CEE devient l'Union européenne par le traité de Maastricht

1997: signature du traité d'Amsterdam

b   Trouvez les expressions suivantes dans le texte:
1   a lasting peace
2   materialised
3   which gives birth to
4   nine countries join them
5   comes into effect
6   to save peace

c   Répondez aux questions suivantes en Français:
1   Qui était Robert Schuman?
2   Quels pays faisaient partie de la CECA?
3   Combien de pays signèrent le traité de Rome?
4   En quelle année la Grande-Bretagne a-t-elle rejoint la CEE?
5   L'Union européenne existe depuis quelle date?
6   Quels sont les objectifs de l'Union européenne?

1999: le traité d'Amsterdam entre en vigueur. Il comporte des avancées dans les domaines des droits des citoyens (notamment la protection des droits fondamentaux), de la coopération en matière de sécurité et de justice, de la politique étrangère et de sécurité commune et du renforcement de la démocratie. Il augmente la protection des consommateurs, pose comme objectif le développement durable soucieux de l'environnement, donne à l'Union européenne une nouvelle compétence en matière d'emploi, renforce la politique sociale concernant l'égalité des chances et la lutte contre l'exclusion ...

LES OBJECTIFS DE L'UNION EUROPEENNE

– établir les fondements d'une union plus étroite entre les peuples européens, sauvegarder la paix, rechercher l'unité politique.

– assurer par une action commune le progrès économique et social: création d'un marché intérieur européen, renforcement de la cohésion sociale.

L'Union européenne a ses propres institutions communautaires comme le Conseil européen (Chefs d'Etat ou de Gouvernement), le Conseil (des ministres) de l'Union européenne, le Parlement européen, élu au suffrage universel direct par les citoyens, la Commission européenne, la Cour de Justice etc. ...

La France joue un rôle important dans toutes ces institutions, en raison de l'importance de sa population et de son origine.

Grammaire (Rappel!)

Le genre des noms

Most nouns are either masculine or feminine:
un homme une femme.

Some nouns have masculine and feminine forms:
un coiffeur une coiffeuse.

Some nouns stay the same when referring to either gender: **un élève une élève.**

Some nouns have only one gender for men and women:
un professeur une personne.

Que ce livre est lourd — il pèse plus d'une livre!

Some nouns have different meanings depending on their gender: **un livre** a book **une livre** a pound.

Masculine endings
days, months, seasons
le vendredi,
un été magnifique
languages
le français
most animals and trees
un lapin, un sapin
most colours
le bleu

Feminine endings
continents
une Europe solide
most countries and rivers ending in e
la Belgique, la Seine
most fruit ending in e
une pomme
most nouns ending with 2 consonnants + e
la terre

The word endings can sometimes help you. But be careful! There are exceptions.

Masculine endings
– **acle:** *un obstacle*
– **age:** *le nettoyage*
(not cage, image, page, plage)
– **ège:** *un sacrilège*
– **é:** *le thé*
– **eau:** *un chapeau* (not eau, peau)
– **ème:** *un problème*
(not crème)
– **isme:** *le fascisme*
– **asme:** *l'enthousiasme*
– **ent:** *un évènement*
– **oir:** *le pouvoir*

Feminine endings
– **ace:** *la race*
– **ère:** la misère (not caractère, mystère)
– **ance:** *la bienveillance*
– **ée:** *la journée* (not lycée, musée)
– **ence:** *la patience* (not silence)
– **eur:** *la peur* (not bonheur, malheur, honneur)
– **té, – tié:** *la volonté* (not traité), la moitié
– **ion, – tion:** *la vision, la solution*
– **esse:** *la paresse*
– **ure:** *la culture*

Exercice 1

Tous les mots suivants sont extraits du texte de la p. 32. Ecrivez-les dans votre fichier de vocabulaire avec leur genre sans regarder le texte. Vérifiez dans le dictionnaire.

association
traité
signature
renforcement
compétence
ville
continent
Autriche
candidature
guerre
communauté

Exercice 2

Mettez le genre des noms suivants et trouvez deux autres exemples. Essayez de faire l'exercice sans le dictionnaire.

1 ... paysage
2 ... glace
3 ... boulangère
4 ... distance
5 ... marché
6 ... manteau
7 ... soirée
8 ... système
9 ... prudence
10 ... optimisme
11 ... marasme
12 ... chaleur
13 ... monument
14 ... devoir
15 ... amitié
16 ... démonstration
17 ... nature
18 ... jeunesse

7 Les symboles de l'Union européenne

a Lisez les quatre textes ci-dessous

La monnaie unique, l'Euro

L'euro est devenu le 1er janvier 1999, la monnaie unique européenne. Les billets et les pièces en euro seront distribués le 1er janvier 2002. Le logo de l'euro est inspiré par l'epsilon grec, berceau commun de la civilisation européenne, et par la première lettre du mot Europe. Les deux traits parallèles symbolisent la stabilité de l'euro.

Le drapeau européen

Le 26 mai 1986, le drapeau bleu aux douze étoiles, adopté en 1955 par le Conseil de l'Europe, devient officiellement le drapeau de la Communauté européenne. Les étoiles, figurant les peuples d'Europe, forment le cercle en signe d'union. Disposées comme les heures sur le cadran d'une montre, leur nombre invariable de douze symbolise perfection et plénitude. Le nombre d'étoiles n'étant pas lié au nombre d'Etats membres, le drapeau ne sera donc pas modifié lors des prochains élargissements. Chaque pays conserve son propre drapeau.

L'hymne Européen

La musique de «l'Ode à la Joie», prélude du 4ème mouvement de la IXème symphonie de Ludwig van Beethoven, est adoptée comme hymne européen par les Chefs d'Etat ou de Gouvernement des pays de l'Union européenne, réunis en Conseil Européen en juin 1985 à Milan. Chaque pays conserve son hymne national. Il n'existe pas de paroles officielles.

Ludwig van Beethoven

9 mai

Etape principale dans la construction européenne, la journée de l'Europe est fêtée chaque année le 9 mai dans tous les pays de l'Union Européenne. Les associations, les écoles et les citoyens se mobilisent pour célébrer la journée de l'Europe. Le 9 mai est en France l'occasion de très nombreuses manifestations de plus ou moins grande envergure, organisées dans les villes et dans les écoles, à l'initiative des associations, des enseignants, des collectivités locales ...

b **Répondez aux questions suivantes en anglais:**
1 How many stars are there on the european flag? Why?
2 What will happen to each country's flag and their national anthem?
3 Who composed the European anthem?
4 When will people be able to use the Euro?
5 What does the Euro symbol represent?
6 When is Europe Day celebrated?
7 Who organise the different events?

8 Pour ou contre?

a Lisez ce sondage sur l'Europe réalisé par un magazine français. 1000 personnes ont été interrogées.

I Vous sentez-vous européen? (425 votes)

Oui, complètement (114)	26,8%
Pas du tout européen (13)	3,1%
Je me sens Français uniquement (274)	64,5%
Je me sens de ma région uniquement (15)	3,5%

2 Lorsque vous pensez à la construction européenne, quel sentiment, parmi les suivants, cela vous évoque-t-il principalement? (l'ensemble des Français)

L'espoir	42%
La crainte	21%
La confiance	18%
L'indifférence	9%
L'enthousiasme	7%
L'hostilité	2%
Ne se prononce pas	1%

3 Pour chacun des domaines suivants, estimez-vous que l'Europe soit?

	bien	mal	ni l'un ni l'autre
Le progrès technologique et la recherche scientifique	85%	2%	11%
Le maintien de la paix en Europe	83%	4%	12%
La préservation de l'environnement et de la nature	70%	6%	21%
Le niveau de la croissance économique	58%	12%	26%
La création d'emplois	51%	17%	30%
La lutte contre l'immigration clandestine	37%	30%	29%

4 Etes-vous favorable aux votes des étrangers non-européens en France?

Je suis résolument contre	58,8%
J'y suis favorable dans certains cas (élections municipales par exemple)	35,2%
Je suis pour	6,1%

b Les mots suivants sont tous dans le sondage. Quels sont les verbes qui leur correspondent?

	verbe
1 l'espoir	
2 la crainte	
3 le progrès	
4 le maintien	
5 la préservation	
6 la création	
7 la lutte	

Grammaire (Rappel!)

Les articles

Les articles définis – *le, la, l', les*

Be careful: a definite article is often required in French when *the* is not needed in English.

For example:

Before abstract nouns or when nouns are used to generalise.

L'unification de l'Europe est une très bonne chose
Europe unification is a very good thing

Before names of continents, countries, regions and languages.

Ce sondage sur l'Europe révèle ce que pensent les Français
This survey on Europe reveals what the French think

N.B. No definite article with parler + language

Nous parlons français   We speak French

Before arts, sciences, sports, parts of the body, illnesses, substances, meals and drinks.

De plus en plus de Français pratiquent le surf des neiges
More and more French people practise snowboarding

Before titles

Le président Chirac
President Chirac

Les articles indéfinis – *une, une, des*

Be careful: in the plural, an indefinite article is needed in French when it is not needed in English.

Dans toutes les villes européennes, il y a des sans-abris
In all European towns there are homeless people

You do not need an indefinite article with occupations:

Je suis professeur   I am a teacher

In negative sentences, un, une, des is replaced by de, d'.

Elle n'a pas de passeport   She hasn't got a passport

In the plural, if an adjective is placed before a noun, *des* becomes *de*.

Il a visité de vieilles églises   He visited old churches

Grammaire

Exercice 1

L'article défini

Remplacez l'étoile (*) par l'article défini qui convient et traduisez les phrases en anglais.

1 * espoir fait vivre.

2 Dans certains pays, * habitants vivent dans * crainte.

3 C'est ça, * progrès?

4 Parler anglais devient indispensable. C'est ce qu'a annoncé * gouvernement hier.

5 * création de nouveaux emplois devrait rendre * situation plus facile.

6 * France est entrée dans * Communauté Européenne avant * Grande Bretagne.

7 * Président français espère être présent lors du prochain sommet européen.

Exercice 2

Remplissez les blancs avec un article défini ou un article indéfini s'il le faut.

1 Il est allé en France. ... voyage a été très fatiguant. Il n'aime pas particulièrement ... bus.

2 Marie a décidé de visiter ... Ecosse. Elle est ... professeur d'anglais et elle aime parler ... anglais.

3 Mes enfants n'aiment pas trop ... fromage français.

4 Pendant ... vacances, j'ai acheté ... biscuits belges. Ils sont super.

5 Nous n'avons pas ... projets de vacances.

6 Elle vend ... vêtements sur ... marchés européens.

7 Il n'est pas souvent malade mais il vient d'avoir ... grippe.

8 Nous avons passé ... bonnes vacances.

9 Dans les Landes, il y a ... forêts superbes.

10 ... voyages forment ... jeunesse.

9 Sondage

a Posez les mêmes questions que celles posées dans le sondage précédent à tous les élèves de votre classe et faites un sondage.

b Faites des phrases pour exprimer ce que les Français pensent de l'Europe.

10 Opinions

a Lisez le texte suivant:

Ipsos a recueilli l'opinion de jeunes Français âgés de 15 à 25 ans sur l'Europe: leur perception, leurs représentations, et les souhaits d'implication qu'elle suscite.

L'envie de découvrir l'Europe est quasi unanime: 94% des jeunes déclarent avoir envie de se rendre, dans les années à venir, dans un des pays de l'Union européene. Les motivations sont d'abord touristiques pour 83%, moins souvent professionnelles (44%), scolaires (22%) ou culturelles (22%).

Pour une très grande majorité des jeunes ayant répondu au questionnaire, le financement constitue le principal obstacle à ce projet (79%). Mais on note également que la maîtrise insuffisante des langues étrangères constitue un frein non négligeable. Enfin, plus d'un tiers des répondants (36%) ne souhaitent pas interrompre leurs études en cours. Ce dernier chiffre prouve que les jeunes ne connaissent pas vraiment les programmes de l'Union Européenne pour la jeunesse tels Socrate et Erasmus.

Les représentations spontanées de l'Europe sont souvent vagues, générales: 56% évoquent les termes «union ou ensemble de pays»; 12% «continent»; 3% «grand pays». Elle reste manifestement quelque chose de flou, de vague, de méconnu.

Cependant, le niveau de diplôme joue: plus le jeune est diplômé, mieux il apprécie l'Europe au quotidien.

Le rôle de l'Europe est massivement jugé positivement: 81% des 15-25 ans ayant répondu au questionnaire estiment que l'Europe joue un rôle positif dans leur vie de tous les jours. Les échanges culturels entre les pays, le développement des nouvelles technologies, l'économie du pays ou encore la santé des marchés financiers sont à mettre à l'actif de l'Europe. Les jeunes constatent que l'Europe n'intervient pas suffisamment dans les domaines qu'ils jugent prioritaires pour eux-mêmes, comme l'emploi (77%), la lutte contre le racisme (56%) ou encore la lutte contre l'exclusion (45%). C'est donc, dans l'esprit des jeunes, dans cette direction que l'Europe doit aujourd'hui avancer dans les mois et années à venir.

b Complétez le tableau ci-dessous:

Nom	Adjectif	Verbe
perception		
représentation		
souhait		
		découvrir
		déclarer
motivation		
financement		

11 Allo, l'Europe ...

Il est maintenant plus facile de travailler dans un autre pays européen que le sien et beaucoup de jeunes sont tentés par l'aventure européenne.

a **Ces quatre jeunes sont à la recherche d'informations. Lisez leurs questions et écoutez les conseils qui leur sont donnés.**

Je suis étranger. Je commence des études de DEUG l'année prochaine à Orsay. Je voudrais travailler pendant mes études. Comment faire?
Klaus

40 ans séparent le traité de Rome (1957) du traité d'Amsterdam (1997). Ces deux traités ont établi les principes de libre circulation des hommes, des biens et des services au sein de l'Union Européenne. Aussi tout ressortissant de l'Union Européenne (UE) est-il libre de choisir la France pour y résider à titre temporaire ou définitif et y exercer son activité professionnelle. Une nouvelle loi française apporte des modifications.

Je suis américaine. Je suis venue en France pour visiter Paris. Puis-je travailler?
Fiona

L'immigration est officiellement arrêtée depuis 1974. En conséquence, en dehors des ressortissants de l'Union Européenne, de l'Espace économique européen et de quelques rares exceptions, les étrangers ont très peu de chance d'obtenir l'autorisation de travailler en France.

Je souhaite partir faire un stage en Irlande. Où puis-je consulter les offres du service volontaire européen?
Baptiste

Sur les 370 millions d'habitants de l'Union européenne, 130 millions ont moins de 25 ans. Mais l'Europe ne se limite pas aux 15; c'est aussi celle du Conseil de l'Europe ou l'Europe des 40. Ces deux organisations sont distinctes et ont chacune leurs institutions. Elles ont cependant une volonté commune: développer une politique internationale de la jeunesse et faire de chaque jeune européen un citoyen actif et responsable.

Je voudrais faire ma troisième année d'études de commerce en Italie. Comment trouver des écoles équivalentes à la mienne et quelle valeur aura mon diplôme à mon retour?
Pauline

Etudier dans un pays de l'Union européenne est devenu pratique courante pour un étudiant français sur cent. Les programmes mis en place favorisent cette mobilité qui leur permet de maîtriser une ou deux langues de la Communauté et leur donne l'occasion de se confronter aux cultures des pays voisins.

b **Répondez aux questions suivantes en anglais.**
Premier passage
1 How many hours a week is a foreign student allowed to work in France?
2 What two conditions must foreign students meet to qualify for work?
3 What legal requirement is necessary before starting a job?
4 Which citizens of which countries are exempt?

Deuxième passage
5 What else do non EC foreigners need besides a tourist visa or a passport to be able to work in France?
6 What are the special requirements of American citizens who want to work in France ?

Troisième passage
7 What age do you have to be to qualify for a course with the SVE?
8 What is the phone number to obtain the address of the regional correspondant?

Quatrième passage
9 What is the easiest way to have your degree recognized?
10 When do you have to inquire about such programs?

12 Quelle démarche?

Vous travaillez au service de l'immigration à Paris et vous venez de recevoir la lettre d'un étudiant chilien qui vous demande des informations sur les possibilités de travail en France. Vous y répondez en révisant le travail que vous avez fait précédemment ou en faisant des recherches sur l'Internet. Utilisez vos propres mots et n'oubliez pas d'utilisez le subjonctif!

Exemple: Il faudrait que ...
            Il faut que ...
            Il sera nécessaire que vous ...

13 L'élargissement de l'Europe 🔊

Etes-vous pour l'entrée de la Turquie dans L'Union européenne?

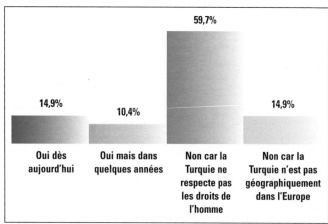

Un sondage récent a révélé que 59% des européens estimaient que l'élargissement de l'Union n'était pas une priorité. Parmi eux, les Français semblent les moins enthousiastes avec 34% d'avis positifs. Pourtant, ce processus d'intégration de nouveaux pays membres permettrait de parachever la réunification du continent européen et ce notamment vers l'Est. C'était le but que se fixèrent ses fondateurs à l'origine afin de promouvoir la paix et la prospérité en Europe.
Notre reporter a demandé à une jeune fançaise, Sophie Mathieu, ce qu'elle en pensait.

Ecoutez-la et répondez aux questions à choix multiples.

1 Sophie est
   a tout à fait d'accord avec la majorité des Français
   b assez d'accord avec la majorité des Français
   c en désaccord avec la majorité des Français

2 L'élargissement de l'Europe n'est pas une priorité pour
   a plus de la moitié des Français
   b plus des trois quarts des Français
   c les cinquante personnes interrogées

3 Les institutions européennes doivent être
   a renversées
   b consolidées
   c remuées

4 La culture différente de la Turquie
   a déstabiliserait l'Europe
   b ne serait pas un handicap pour l'intégration
   c rendrait l'intégration difficile

14 Interview avec un ancien d'Erasmus 🔊

Erasmus en bref!
ERASMUS (EuRopean Action Scheme for Mobility University Student)

Dans le programme européen de coopération dans l'éducation, Erasmus se consacré à l'enseignement supérieur. Son objectif: permettre aux étudiants des quinze pays de l'Union européenne – mais aussi du Liechtenstein, de la Norvège, de l'Islande et de la Suisse – d'effectuer un séjour de trois mois à un an sur un campus européen.
Depuis mars 1997, Socrate s'est également ouvert à des pays d'Europe centrale et orientale (Bulgarie, Chypre, République Tchèque, Estonie, Lettonie, Lithuanie, Hongrie, Pologne, Roumanie, Slovénie et Slovaquie)
Au total, plus de 50000 étudiants français ont profité d'Erasmus depuis sa création en 1987.
La participation à un programme ERASMUS offre à l'étudiant une occasion exceptionnelle de donner à sa formation une dimension européenne, tant sur le plan strictement scientifique que sur le plan culturel et linguistique.

a **Ecoutez Antoine qui vous raconte son expérience personnelle.**

b **Trouvez dans le passage les expressions qui correspondent à chacune des expressions suivantes:**
   1 le temps qu'ils passent à étudier
   2 je voulais m'en aller
   3 j'ai rencontré beaucoup d'amis

c **Ecrivez les informations nécessaires en français ou en chiffres selon la question:**

1 le pourcentage d'étudiants étrangers qui viennent faire leurs études à Liège	
2 le nombre de leurs différents pays d'origine	
3 les raisons qui ont poussé Antoine à partir	
4 le niveau d'Antoine en anglais avant et après son séjour	
5 les conseils donnés par Antoine aux étudiants susceptibles de partir	
6 le logement	
7 les finances	

15 Petit guide pratique

a Lisez la brochure suivante qui s'adresse aux étudiants intéressés par le programme Erasmus.

Erasmus

Où se renseigner?
– Allez au bureau des relations internationales de votre établissement qui s'occupe des échanges avec les différentes universités européennes.
– Parlez à vos profs: Ce sont eux qui préparent les programmes d'études et qui vous conseilleront sur l'université et le pays à choisir.

Qui peut partir?
– N'importe quel étudiant (de deuxième année au doctorat) peut espérer partir dans le cadre du programme Erasmus.

Qui est choisi?
– Votre université sélectionne les candidats. Votre niveau dans la langue du pays choisi, votre dossier scolaire ainsi que votre motivation seront pris en considération.
– Pas de procédure généralisée pour la sélection: les professeurs de la discipline choisie sont les seuls juges. Dans certains cas, vous aurez des tests de langue à passer.

Quelles sont les destinations?
– N'importe où! Le choix est très grand: les quinze pays de l'Union Européenne mais aussi la Norvège, l'Islande ou le Liechtenstein mais aussi, depuis trois ans, les pays d'Europe de l'est et d'Europe centrale.

Cela va-t-il vous revenir cher?
– C'est l'un des avantages d'Erasmus: les frais d'inscription dans l'établissement
d'accueil sont assurés par votre établissement d'origine.
– Une bourse Erasmus (vous pourrez recevoir une bourse dite «de mobilité». Montant: 100 à 150 euros, le double pour les pays scandinaves.

Quand partir et pour combien de temps?
– Vous devrez déposer votre dossier de candidature entre mars et avril pour un départ en septembre.
– La majorité des étudiants partent en moyenne pour une durée de six mois.

Quelles filières envoient le plus d'étudiants à l'étranger?
– Les filières les plus représentées sont: la gestion des entreprises, les langues, l'ingénierie, les technologies et les sciences sociales.
– Les filières les moins représentées sont la géographie, la géologie, la communication et les sciences de l'information.

Vos études à l'étranger seront-elles validées?
– Grâce au système ECTS, les crédits ou unités de valeur délivrés par l'université d'accueil seront reconnus dans votre université d'origine. Par exemple: Vous étudiez six mois l'ingénierie en Allemagne et vous voulez terminer votre formation en Angleterre. Maintenant c'est tout à fait possible: vos notes vous suivront d'une université à l'autre et elles seront également converties. Vous n'aurez donc pas à repasser des crédits déjà obtenus parce que vous avez changé de pays.

b **Liez les débuts et les fins de phrases suivantes:**
1 Si vous décidez de participer au programme Erasmus, il faudrait que vous
2 Vous pourrez obtenir des renseignements sur ce programme en
3 A partir de la deuxième année, vous
4 C'est la faculté où vous faites vos études qui
5 L'avantage principal du programme, c'est que
6 D'autre part, le fait que vos diplômes soient

a vous adressant au bureau des relations internationales.
b décidera si vous pouvez partir.
c en parliez à vos profs.
d les droits d'inscription sont couverts par votre faculté.
e pouvez partir dans le cadre de ce programme.
f reconnus par votre université est aussi un avantage certain.

16 Discussion

A deux:
Partenaire A: Vous venez de rentrer d'un séjour effectué dans le cadre du programme Erasmus. Vous énumérez tous les avantages et vous essayez de convaincre votre ami(e) de faire la même chose.
Partenaire B: Vous étudiez aussi les langues mais vous n'avez jamais quitté votre pays et vous avez un peu peur. D'autre part, vous ne pensez pas que ce soit indispensable.

Examen

1 Les jeunes et l'Europe

a   Lisez le passage ci-dessous.

Qui sont-ils ? Que veulent-ils?

Eurobaromètre vient de livrer les résultats d'un sondage d'opinion réalisé auprès des jeunes de 15 à 25 ans, à l'échelle des quinze pays de l'Union européenne. Cette enquête révèle un portrait tout en contrastes, qui malmène bien des stéréotypes. Elle met en lumière une nouvelle génération plutôt individualiste mais qui sait se montrer solidaire et tolérante, branchée sur la télévision, sensible aux nouvelles technologies de l'information, attachée à la mobilité européenne, de plus en plus polyglotte, et fortement préoccupée par le chômage ...

Le «juvenis europeanus» existe-t-il?

Comment vivent les jeunes Européens en l'an 2000? Quelles sont leurs réactions par rapport à l'Union européenne? L'eurobaromètre fait ressortir une très grande diversité de réponses entre les jeunes, selon les pays ou groupes de pays dont ils sont issus. C'est particulièrement vrai au niveau des connaissances linguistiques, de l'attitude face aux étrangers, en matière de solidarité avec le troisième age, ou de relations aux nouvelles technologies. Cette variété doit inciter à une grande prudence dans l'interprétation des «moyennes européennes». Ces chiffres montrent en tout cas l'absence de «stéréotypes européens». Il n'existe pas de modèle standard dans lequel se mouleraient les jeunes Européens.

Individualistes, mais néanmoins solidaires

Près d'un jeune européen sur deux ne fait partie d'aucune organisation ou association.
Plutôt individualiste, le jeune n'est pas pour autant égoïste. Témoins, la sensibilité et l'esprit d'ouverture qu'il affiche vis-à-vis de personnes victimes d'un handicap ou de race différente, ou la solidarité qu'il manifeste envers les plus âgés. Volontiers généreux, il s'implique toutefois assez rarement dans des activités sociales, humanitaires ou politiques au sein de structures collectives.

Ce qui frappe également, c'est la place de choix prise par le sport, au niveau des loisirs: bien avant d'autres activités culturelles. Durant leur temps libres, les jeunes Européens consacrent aussi beaucoup de temps à la télévision. Et c'est logiquement par le biais des médias qu'ils disent acquérir les informations sur l'Europe.

Langues: des progrès notables

28,7 % des jeunes – seulement! – avouent ne pas être capables de converser dans une autre langue que leur langue maternelle. Ce chiffre marque un net progrès. En 1990, 40% des jeunes seulement reconnaissaient leur méconnaissance d'une autre langue. Ce résultat est d'autant plus encourageant que la maîtrise des langues est considérée par les jeunes comme un facteur majeur pour augmenter leurs chances de trouver un emploi.

b   Dites si les phrases suivantes sont vraies ou fausses d'après ce que vous avez lu, ou si l'information n'est pas donnée dans le texte:

		Vrai	Faux	Pas dans le texte
1	Les réponses de ce sondage ont été données par des jeunes			
2	Le stérérotype même du jeune Européen est d'être polyglotte			
3	La télévision n'est pas importante pour les jeunes Européens			
4	Les stéréotypes n'existent pas vraiment			
5	Les trois quarts des jeunes Européens font partie d'une association sportive			
6	Ce sondage montre que les jeunes sont conscients de l'importance des langues			

(6 points)

2 Etes-vous citoyen européen?

a **Ecoutez cette assistante de français qui vous dit ce qu'est un véritable Européen et prenez des notes.**

b **Voici une liste de faits. 4 de ces faits sont mentionnés dans le passage. Lesquels? Attention! Vous perdrez des points si vous avez plus de 4 faits.**
   1 L'acquisition d'une nouvelle nationalité
   2 On peut avoir de nouveaux droits
   3 On peut avoir une nouvelle carte d'identité
   4 On peut se déplacer plus facilement
   5 On peut étudier dans n'importe quel pays européen
   6 Les Européens peuvent voter dans le pays de l'Union dans lequel il réside

(4 points)

3 Ouverture sur l'Europe

Le saviez-vous?

Le LEGTP Stanislas, lycée frontalier par excellence, a depuis toujours entretenu des relations privilégiées avec des établissements allemands et autrichiens. Cette volonté d'ouverture vient de se confirmer par la mise en place d'un véritable partenariat avec des lycées de plusieurs autres pays européens. C'est ainsi que le lycée Stanislas s'est engagé dans les actions Comenius et Lingua du programme SOCRATES, programme initié par la Commission Européenne sur l'Education et la Formation.

a **Lisez le texte ci-dessous**

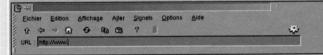

Action Comenius et Projet Educatif   COMENIUS

Le jumelage, en 1995, avec le Bilborough College de Nottingham en Angleterre, fut le point de départ d'un partenariat qui s'enrichit rapidement de la venue de deux autres établissements: Le Magnus Abergsgymnasiet de Trollhättan en Suède, et le Städtisches Gymnasium I de Francfort sur Oder en Allemagne.

1 Les objectifs du partenariat:
   • favoriser une compréhension mutuelle par-delà les différences culturelles et gommer les stéréotypes.
   • tisser des liens amicaux entre les individus
   • prendre conscience d'appartenir à une communauté élargie afin de pouvoir envisager des études ou un travail à l'étranger.

2 Le Projet Educatif Européen
a Thème et objectifs
   Ce projet poursuit trois objectifs:
   • faire découvrir aux jeunes les éléments communs et les éléments différents de leur culture et de leur pensée
   • améliorer leur compétence à communiquer dans une langue étrangère
   • utiliser les technologies nouvelles de la communication et de l'information (courrier électronique via Internet, net meeting ...).

b Les activités s'articulent autour de trois axes:
   • une enquête sur les modes de vie des jeunes Européens.
   Chaque pays élabore un questionnaire d'une ou deux pages sur le sujet de son choix:

Allemagne	Angleterre	France	Suède
Drogues et alcool	Musique	Sorties	Sport

Les questionnaires sont échangés via le réseau Internet.
   • une vidéo pour présenter lycée et élèves dans leur environnement géographique, chaque pays la réalisant dans sa propre langue.
   • une page Internet pour décrire le projet.

3 Autres aspects du partenariat
   • Echanges et visites d'élèves dans les établissements partenaires (séjours courts d'une semaine):
   • Expérience de travail (stage en entreprise ou en écoles primaires), découverte du lycée partenaire.
169 jeunes auront bénéficié de ces échanges pour l'année 97-98.

Camp 2000
En septembre de l'an 2000, un camp à Francfort sur Oder rassemblera environ 160 élèves et 25 professeurs des quatre établissements pour une semaine où différentes activités seront proposées et organisées par les différents pays.

Echange de professeurs
Un professeur d'anglais du lycée Stanislas et un professeur de français du lycée de Nottingham ont échangé leur poste pour un semestre en 1998, une bonne occasion d'expérimenter de nouvelles méthodes d'enseigner.

Action Lingua
Elle est plus spécifiquement orientée vers l'apprentissage des langues. Mise en place depuis quelques années, cette action permet chaque année à des élèves des sections professionnelles industrielles du lycée de rencontrer et de travailler avec des lycéens du K. Wachsmann Oberstufen Zentrum de Francfort sur Oder en Allemagne.

b Répondez aux questions suivantes en anglais:
1 Which countries are involved in the project? (1)
2 What are the aims of this association? (5)
3 What are the aims of the European project? (5)
4 What activities are proposed? (3)
5 What contacts will all these schools have? (4)
6 What is Action Lingua about? (2)

(20 points)

c Vous venez de recevoir un courrier électronique du lycée Stanislas de Strasbourg qui organise une journée européenne de la jeunesse et vous demande si vous voulez y participer. Chaque lycée participant devra faire un exposé sur l'Europe de l'an 2000. Pour vous aider à préparer votre exposé, trois questions vous sont proposées ainsi qu'un certain nombre de thèmes.

> Salut!
> Le lycée Stanislas de Strasbourg organise une journée européenne de la jeunesse et nous aimerions qu'un grand nombre de lycées y participent.
> Si vous êtes intéressé:

d Considérez les questions suivantes:
1 Vos espoirs et vos craintes en ce qui concerne l'Union européenne?
2 Pensez-vous que les jeunes aient un rôle à jouer?
3 Quelle est votre Europe de rêve?

e Recherchez des informations sur les thèmes suivants:
- Le sport
- Le cinéma
- Le racisme
- Le chômage
- L'aide humanitaire
- Le Parlement européen
- L'euro

(20 points)

4 Un projet nécessaire et utile

a Ecoutez Théodore Zeldin qui enseigne à Oxford et est membre de l'Académie européenne.

b Trouvez dans le passage les expressions exactes qui correspondent aux expressions suivantes.
1 à l'époque précédente
2 ce n'est pas étonnant
3 grandement
4 rapides

(4 points)

c Répondez aux questions suivantes en français:
1 Que pense Théodore Zeldin de l'Euro? (2)
2 Selon lui, à quoi sert une monnaie? (2)
3 Que pense-t-il de l'identité nationale? Quel exemple donne-t-il? (2)
4 Pourquoi peut-on dire que l'euro était en circulation avant sa date de sortie? (3)
5 Comment la majorité des Britanniques voient-ils l'euro? (1)
6 Quelles ont été les raisons du rapprochement de l'Allemagne et de la France? (3)
7 Que pensent les Français de la construction de l'Europe? (2)
8 Peut-il y avoir une mentalité européenne? (4)
9 Quelle est l'image future de l'Europe? (3)
10 Que pense Théodore Zeldin de la culture européenne? (3)

(25 points)
Total de l'exercice: 29 points

5 Les droits fondamentaux

a Lisez cette lettre écrite par le Président de la Délégation du Parlement européen.

La Charte des Droits fondamentaux de l'Union européenne

Rapprocher l'Europe de ses citoyens et répondre à leurs demandes, telle est la mission principale de l'institution qui les représente. C'est pourquoi le Parlement européen accorde une grande importance à l'élaboration d'une Charte des droits fondamentaux de l'Union européenne.

Les représentants du Parlement européen ont abordé cette tâche avec grand enthousiasme: en effet, les droits fondamentaux déterminent l'identité de l'Union européenne et l'élaboration d'une telle charte implique la reconnaissance de la nature politique de l'Union. Mais, par-dessus tout, un catalogue des droits fondamentaux constitue une garantie supplémentaire pour les citoyens de nos pays, en raison de son lien de parenté avec la citoyenneté européenne.

La présente page web (http://www.europarl.eu.int/charter/fr) témoigne de notre volonté de transparence dans l'action et d'écoute des suggestions et des requêtes des citoyens.

Je vous souhaite donc chaleureusement la bienvenue et vous encourage à nous faire part de vos commentaires ou suggestions pour le déroulement de nos travaux.

Avec toute mon affection,

Iñigo Méndez de Vigo
Iñigo Méndez de Vigo

b Trouvez dans le passage les expressions exactes qui correspondent aux expressions suivantes.
1 une personne ayant la nationalité d'un pays
2 consent à donner
3 ce qui unit
4 est la preuve

(4 points)

c Complétez les phrases ci-dessous en choisissant le mot qui convient dans chaque cas.
1 Il faut que les citoyens européens (se sentent / se sentissent / sentent) plus près de l'Europe et que leurs demandes (sont / soient / aient) accordées.
2 La Charte des droits fondamentaux de l'Union européenne est une idée (cherre / cher / chère) au Parlement européen).
3 Il est important qu'une Charte de droits fondamentaux (voit / voient/ voie) le jour.
4 Il est nécessaire que les droits fondamentaux (définissent / définient / définent) l'identité de l'Union européenne.
5 Les citoyens de tous (les / des / –) pays européens auront ainsi une garantie supplémentaire.
6 Iñigo Méndez de Vigo souhaite que les citoyens européens lui (font / fassent / fissent) part de leurs commentaires et de leurs suggestions.

(7 points)

d En faisant des recherches sur l'Internet, vous lisez cette lettre sur la page 42 et en tenant compte du travail que vous avez fait précédemment, vous y répondez en faisant état des suggestions et des requêtes que peuvent avoir les jeunes dans le monde d'aujourd'hui.

Contenu: 13 points
Langue: 13 points
Total pour la lettre: 26 points
Total de l'exercice: 30 points

7 Dissertation

L'Union européenne est une réalité. Il faut que nous nous engagions tous dans le même combat car les avantages sont multiples. Discutez. (300 mots)

Contenu: 20 points
Langue: 15 points
Lexique: 10 points
Total: 45 points

6 Testez vos connaissances

Vous êtes européen?

1 Combien d'étoiles y-a-t-il sur le drapeau européen?
  a 12
  b 15
  c 10

2 Quelle est l'hymne officiel européen?
  a la truite de schubert
  b la lettre à Elise de Beethoven
  c l'hymne à la joie de Beethoven

3 En quelle année a été signé le traité de Rome?
  a 1947
  b 1957
  c 1999

4 Quel est le siège officiel du Parlement européen?
  a Strasbourg
  b Bruxelles
  c Paris

5 Quelle est la population de l'Europe des 15?
  a 100 millions
  b 370 millions
  c 600 millions

6 Quelle est la date de la mise en circulation de l'euro?
  a 2000
  b 2001
  c 2002

7 Quand est célébrée la journée de l'Europe?
  a 9 mai
  b 14 juillet
  c 1 mai

Extra

1 Provence toujours

Amoureux fou du Midi, le Britannique Peter Mayle vit entre Gordes et Lourmarin. Ce décor est devenu la substance même de ses livres, que les Anglais s'arrachent par millions d'exemplaires.

a Avant de lire l'extrait du livre, liez les mots ou expressions de gauche à leur définition de droite:

1 plaisanterie
2 guetter
3 nous reprenons notre combat
4 nous avons eu le bonheur

a on a été heureux
b on continue à se battre
c propos destinés à faire rire
d observer en cachette

Je ne sais pas si cela se voulait une plaisanterie, une insulte ou un compliment, mais c'était ce que l'homme de Londres avait dit. Il était passé sans prévenir en descendant vers la côte et était resté déjeuner. Nous ne l'avions pas vu depuis cinq ans: de toute évidence il était curieux de voir l'effet qu'avait sur nous la vie en Provence. Il nous examina attentivement, guettant des symptômes de détérioration morale ou physique.

Nous n'avions pas conscience d'avoir changé. Mais lui en était sûr, même s'il ne pouvait rien trouver de précis [...]

Plus j'y réfléchissais, plus je me rendais compte que nous avions dû changer [...] Nous mangeons mieux qu'autrefois et sans doute pour moins cher. Il est impossible de vivre un certain temps en France sans se laisser gagner par l'enthousiasme national pour la nourriture. Nous nous sommes laissés aller au rythme gastronomique de la Provence, en profitant des offres spéciales fournies par la nature tout au long de l'année. Asperges, petits haricots verts pas plus gros que des allumettes, fèves dodues, cerises, aubergines, courgettes, poivrons, pêches et abricots, melons et raisins, blettes, champignons sauvages, olives, truffes: chaque saison apporte son festin.

Par temps clair, quand le mistral a soufflé et que l'air étincelle, on a une vue sur la mer d'une extraordinaire netteté, presque comme dans un verre grossissant. Et on a le sentiment d'être à des centaines de kilomètres du reste du monde.

Les jours passent lentement mais les semaines filent. Aujourd'hui nous mesurons l'année suivant des méthodes qui n'ont pas grand-chose à voir avec les agendas et les dates précises. Il y a les amandiers en fleur de février, les quelques semaines d'affolement préprintanier dans le jardin quand nous

tentons de nous attaquer aux travaux que nous avons envisagé de faire durant tout l'hiver. Le printemps est un mélange de cerisiers en fleur et d'un jaillissement de mauvaises herbes: les premiers hôtes de l'année, qui arrivent en espérant profiter d'un temps subtropical, ne trouvent bien souvent que pluie et vent. L'été peut commencer en avril. Ou bien en mai. Les coquelicots en juin, la sécheresse en juillet, les orages en août. Les vignes commencent à rougeoyer. Les chasseurs sortent de leur hibernation estivale. Les vendanges sont faites. L'eau de la piscine vous saisit de plus en plus vivement jusqu'au moment où elle devient trop froide pour autre chose qu'un plongeon masochiste au milieu de la journée. Ce doit être la fin octobre. L'hiver est plein de bonnes résolutions et certaines d'entre elles se concrétisent bel et bien. On abat un arbre mort.

On bâtit un mur. On repeint les vieilles chaises en fer du jardin. Chaque fois que nous avons un moment de libre, nous prenons le dictionnaire et nous reprenons notre combat avec la langue française. [...]

La Provence a été bonne avec nous. Nous ne serons jamais plus que des visiteurs permanents dans un pays qui n'est pas le nôtre: mais nous avons eu le bonheur d'être bien accueillis. Pas de regrets, de rares doléances, de nombreux plaisirs. Merci Provence.

b Répondez à ces questions à choix multiples.

1 Le visiteur était
  a Londonien
  b Parisien
  c Provençal
2 Il voulait voir si
  a les Mayle regrettaient leur vie précédente
  b les Mayle avaient besoin de soutien
  c le physique et le moral des Mayle avaient empiré
3 Les Mayle apprécient
  a les promenades
  b la façon de manger des Français
  c les jours plus longs

4 Les Mayle ne regrettent pas
  a la solitude
  b les agendas et les dates précises
  c les orages
5 Les Mayle
  a ne regrettent pas d'avoir pris la décision d'habiter en France
  b regrettent cette décision en permanence
  c ne sont pas sûrs d'avoir pris la bonne décision

2 Welcome

Les lecteurs de tabloïds vous diraient qu'ils avaient vu le coup venir. Quand on a inauguré le tunnel sous la Manche, la presse populaire ne criait-elle pas à l'invasion en voyant les «froggies» déferler par trains entiers? «Tout, implorait-on, mais pas les voisins au béret!»"

Ecoutez Sophie qui vous parle de sa vie à Londres, et remplissez les blancs.

Il faut ...(1)... à sourire. Moi, il y a un an que je suis arrivée à Londres. Ici, je suis assistante de production télé et la grosse ...(2)... parmi mes collègues, c'est les escargots et les ...(3)... . En fait, je possède une collection complète de petites grenouilles, bien rangées sur des étagères. Il y en a en plastique, en porcelaine, en éponge. Les Anglais me les offrent en cadeau de bienvenue. Ça les ...(4)... . Et Napoléon, alors ... C'est la bête noire. J'en ai appris plus sur Napoléon depuis que je suis en Grande-Bretagne que pendant toutes mes études en France! Il y a aussi beaucoup de ...(5)... parmi les plus courants ... euh ... mauvaise hygiène corporelle, passion pour l'aïl ... aussi les Françaises sont censées être chics et ...(6)... au bon goût. Quant aux hommes ... eh bien ... . Oui ... plutôt ...(7)... et ...(8)... . Les Anglais sont profondément attachés à leur ...(9)... et se font une certaine idée des Français mais cela ne les empêche pas de vénérer notre pays et le ...(10)... de ses habitants. Les ...(11)... avec les Français se rapportent souvent au passé. En fait, les Anglais sont maintenant bien ...(12)... à l'Union. Ils respectent à la lettre toutes les directives de Bruxelles, plus scrupuleusement même que les autres ...(13)... membres.

3 L'Euro et les Anglais

a   Lisez l'article suivant.

L'adhésion de la Grande-Bretagne à la monnaie européenne divise toujours opinion publique.

La réaction des entreprises britanniques face à la monnaie unique européenne suit la tendance qui caractérise le reste de l'Europe. Les entreprises de taille importante ou celles qui seront directement en contact avec l'euro s'y sont réellement préparées tandis que les petits commerces ne suivent pas. Certaines grandes entreprises, comme les constructeurs automobiles, imposent aussi à leurs sous-traitants britanniques l'adoption de l'euro, pour simplifier leur comptabilité et se couvrir des risques de fluctuation des changes.
British Telecom envisage de convertir quelque 56.000 cabines téléphoniques aux paiements en euros, a indiqué un porte-parole de la société.
La chaîne de supermarchés Sainsbury's a déjà acheté à la compagnie française Ronis des consigneurs de chariots acceptant les futures pièces d'euro et de livre sterling.

Sainsbury's a été suivi par d'autres groupes comme Asda, Somerfield et Kwik Save. Quant au double affichage des prix, "c'est une idée à laquelle nous réfléchissons", a reconnu une responsable de Sainsbury's. Une anticipation dictée par plusieurs raisons: l'arrivée attendue de touristes munis d'euros tout neufs, mais aussi la perspective d'une adhésion britannique à la monnaie européenne.
«Nous préparer à l'euro est une priorité. Quand la Grande-Bretagne adoptera à son tour la monnaie européenne, nous serons prêts», souligne un porte-parole de Sainsbury's, précisant toutefois que le groupe ne se prononçait «ni en faveur ni contre l'euro».
Le gouvernement travailliste s'est prononcé en faveur d'une adhésion à l'euro à moyen terme, pourvu que certaines conditions économiques soient remplies.

b   Répondez aux questions ci-dessous en français:
1   Les Anglais sont-ils tous d'accord en ce qui concerne l'euro?
2   Les entreprises sont-elles vraiment préparées à accueillir l'euro?
3   Pourquoi est-ce que les constructeurs automobiles obligent leurs sous-traitants britanniques à adopter l'euro?
4   Que va faire British Telecom?
5   Et Sainsburys?

4 Dissertation

Ecrivez environ 250 mots sur l'euro. Vous considèrerez les points suivants:
Trois avantages de l'euro.
Etes-vous plutôt pour ou contre la monnaie unique?
Pourquoi?

Chapitre 3: Frères, où est la justice?

Pages	Thèmes	Grammaire	Compétences
47–49 Départ	*Béni ou le Paradis privé* de Azoug Begag. Le racisme Une organisation anti-raciste: le MRAP	Le passé simple: révision	Familles de mots Registre écrit / parlé
50–59 Progression	La France, terre d'accueil? Les sans-papiers L'affaire du foulard Un parti d'extrême droite: le Front National Cheb Khaled: chanteur raï Un film: *La Haine* Le système judiciaire Faits divers La délinquance juvénile La peine de mort	Le conditionel passé Inversion (verbe-sujet) après les adverbes L'imparfait du subjonctif	Traduire en anglais Faire un résumé en français Exprimer une opinion contraire Ne pas trop dépendre du dictionnaire Faire la critique d'un film Rédiger une dissertation
60–63 Examen	Course poursuite avec un camion de clandestins Les immigrants sous pression L'archipel des longues peines Peine capitale aux Philippines		
64–65 Extra	*Elise ou la vraie vie* de Claire Etcherelli		Découvrir la littérature Faire la critique d'un livre

Départ

1 La différence

a Décrivez la photo.

b Imaginez un dialogue entre ces deux jeunes: vos parents ne veulent pas que vous sortiez ensemble. Voici quelques idées qui pourront vous aider.

Partenaire A: le maghrébin	Partenaire B: la jeune fille
Ils ne veulent pas que …	Ils pensent que …
Je suis différent	tu n'es pas
Incompatible	les cheveux frisés
Reconnaissable	la couleur de la peau
Nom et coutûmes différents	ce que les gens et les amis pensent

2 Le mensonge de Béni

a Lisez l'extrait tiré de *Béni ou le Paradis privé* de Azoug Begag et relevez un mot de la même famille que les mots suivants. Ecrivez le genre des noms et l'infinitif des verbes.

Exemple: moquerie *se moquer*

moquerie   traîtrise
reconnaître   surprise
vice   agresser
pardon   incompatibilité
changement

Glossaire

Les Terreaux et la Croix Rousse   2 quartiers de Lyon
Un bled   un village
Illico   tout de suite

b Trouvez l'équivalent de:
1   I was easy to recognise
2   It should impress
3   It makes you laugh
4   It is no use to be called
5   I would feel more comfortable
6   Where does it come from?

– Ben Abdallah Bellaouina est-il présent?
– Présent, m'sieur!
Il se moquait. Ça se voyait bien que j'étais dans la classe, non? J'étais facilement reconnaissable!
Les autres profs étaient moins vicieux. Au début de l'année, l'un avait demandé quel était le nom de famille comme si moi je me cassais la tête de savoir ce que voulait dire Thierry Boidard ou Michel Faure.
Fils de serviteur d'Allah: voilà la définition de Ben Abdallah. Ça devrait impressionner, ça n'impressionne pas le Lyonnais des Terreaux ou de la Croix-Rousse. Au contraire, ça fait rire. Qu'Allah me pardonne, mais quand j'aurai les moyens je changerai de nom. Je prendrai André par exemple. Parce que franchement, faut avouer que ça sert strictement à rien de s'appeler Ben Abdallah quand on veut être comme tout le monde.
Bien sûr, les profs pourraient m'appeler Béni et je serais mieux dans ma peau, mais ils n'aiment pas les familiarités avec les élèves.
Abboué* ne serait pas content du tout s'il apprenait le fond secret de mes pensées. Jamais de la vie il ne pourrait m'appeler André, sa langue elle-même refuserait de prononcer ce nom de traître. Alors s'ils savaient aussi que je suis tombé amoureux fou de France dès la première heure de cours, mon père m'expédierait illico au bled.
France**, c'est un joli prénom. Mais qui aurait l'idée de rire de ce prénom? Habiter à Lyon, avoir les cheveux blonds et les yeux bleus, tout en s'appelant France n'a rien de surprenant. André et France: voilà un accord naturel et harmonieux. Ben Abdallah et France! Ça sent l'agression, l'incompatible.
Quand elle m'a parlé pour la première fois, elle m'a demandé comment je m'appelais:
– Béni! Ai-je lancé.
– C'est joli! Elle a dit. Ça vient d'où?
– De partout. Mon père est africain et ma mère anglaise! J'ai ajouté pour conserver mes chances.

*Abboué: le père de Ben Abdallah
**France: le prénom de la fille dont Béni est amoureux

c Lesquelles de ces phrases s'appliquent au texte?

Exemple: *La phrase numéro un s'applique au texte.*

1   Il était évident que Béni était dans la classe.
2   Béni aurait préféré s'appeler Michel Faure.
3   Il habite à Lyon.
4   Il n'aime pas son nom car avec un nom pareil il est difficile de passer inaperçu.
5   Les profs n'aiment pas les élèves musulmans.
6   Le père de Béni ne serait pas content que Béni change de nom.
7   Béni se sent agressif envers la France.
8   Il ment sur l'origine de son nom.

3 Réflexions sur le racisme

Ecoutez ces jeunes écoliers de la région parisienne qui nous disent ce qu'ils pensent du racisme et répondez aux questions à choix multiples. Attention! Il peut y avoir plus d'une réponse possible.

1 Emmanuel pense qu'un raciste, c'est quelqu'un qui n'aime pas les étrangers
   a parce qu'ils ont une couleur de peau différente.
   b parce qu'ils ont une langue différente.

2 Sylvie pense que les racistes
   a ont un complexe de supériorité.
   b sont méprisés par les autres.

3 Stéphanie estime que les adultes
   a parlent du racisme aux enfants.
   b sont responsables du racisme chez les enfants.

4 Ali pense que
   a il n'y a pas de différence entre les peuples.
   b les enfants devraient pouvoir apprendre des choses de leurs copains étrangers.

4 Opinions

Lisez ce que ces deux personnes disent du racisme.

Je suis directeur d'école dans un petit village du Nord. Nous avons, avec mes élèves, participé à un concours pour lutter contre le racisme. Je peux vous dire que, malheureusement, et les instituts de sondage, s'ils sont fiables, le prouvent, nos concitoyens sont de plus en plus racistes. Tous les jours nous sommes confrontés à des propos racistes, prouvant la bêtise humaine, et je ne pense pas que les choses iront en s'améliorant parce que les gens qui nous entourent sont de plus en plus bêtes! La cause: la télévision, outil merveilleux sans doute mais qui cultive la violence. Elle met en évidence le racisme. Tous les jours, il y a des exemples de racisme, que ce soit dans les films ou dans les émissions débilitantes des chaines privées, qui sciemment, cultivent la bêtise humaine pour faire du commerce, et uniquement du commerce. Il fallait que je le dise.

Herbert

Bonjour!
Je m'appelle Kamel Hamza. J'ai 26 ans et j'habite dans la région lyonnaise. Je suis psychologue depuis 8 mois et depuis 8 mois je cherche un boulot dans ce domaine. Je réponds en moyenne à 20 offres par mois et je n'ai eu qu'un seul entretien. Dans cette profession, il parait que les hommes ont plus de chances de trouver un boulot que les femmes. Dans ma promo, il n'y avait que des filles et elles s'en sortent majoritairement mieux que moi. Je me demande souvent si c'est mon origine ethnique qui ne convient pas. Comment ne pas s'agasser? On nous parle toujours de la montée de l'extrême droite en Autriche, mais il faudrait peut-être avant s'intéresser au sympôtme raciste français. J'en ai marre de vivre l'exclusion et d'avoir l'impression de vivre dans une prison «raciale». Que faut-il faire? Faut-il se résigner?

Kamel

a Trouvez le synonyme:
   1 lutter   a le rejet
   2 fiables   b les paroles
   3 les propos   c la hausse
   4 débilitantes   d exacts
   5 s'en sortir   e déprimantes
   6 la montée   f accepter
   7 l'exclusion   g se débrouiller
   8 se résigner   h se battre

b Vrai ou faux?
   1 Herbert pense que les Français sont de plus en plus racistes.
   2 Il rend la télévision responsable.
   3 Il rend les sondages responsables.
   4 Kamel a fait de nombreuses demandes d'emploi.
   5 Les filles qui étaient dans sa classe ont pour la plupart trouvé un emploi.
   6 Il ne pense pas que sa nationalité soit en cause.

5 Le racisme, qu'est-ce que c'est?

a Relisez les deux textes précédents et réécoutez l'enregistrement précédent. Recopiez et complétez le diagramme suivant.

b En vous servant de votre travail précédent, préparez un exposé dans lequel vous parlerez de ce que représente pour vous le racisme. Parlez pendant 1-2 minutes devant la classe.
   • Les préjugés   • Les résultats
   • Les causes

Grammaire (Rappel!)

The past historic

The past historic is used in writing. In speech, the perfect tense is used.

1 er verbs:	2 ir and re verbs:	3 irregular verbs:
jouer	choisir	boire
Je jouai	Je choisis	Je bus

For other irregular verbs see p. 149

Exercice 1

Lisez le texte: Une histoire de cinquante ans et faites une liste des verbes au passé simple. Mettez-les ensuite à l'infinitif et au passé composé.

Exemple: Le MRAP fut
(infinitif) être, (passé composé) Il a été

b   Trouvez l'équivalent de:
1   a struggle (2 words)
2   slavery
3   contempt
4   the employers
5   laws
6   political asylum
7   illegal immigrant

c   Résumez le texte en anglais.

7 Chez nous - Recherches sur Internet

Choisissez une organisation anti-raciste anglaise et écrivez un paragraphe pour dire ce qu'elle fait et pourquoi vous la soutenez.

6 Remontons l'histoire

a   Lisez le texte suivant.

Une histoire de 50 ans

Le Mouvement contre le Racisme et pour l'Amitié entre les Peuples (Le MRAP) fut fondé le 22 mai 1949. Il existe donc depuis 50 ans, et si son combat continue, c'est parce que la nécessité de la lutte contre le racisme est, en effet, aussi fondamentale aujourd'hui qu'en 1949.

Un combat de toujours

Mais la lutte contre le racisme n'a pas commencé avec l'histoire du MRAP. Le racisme est une vieille histoire. L'esclavage fut longtemps de l'antiquité jusqu'à nos jours, la manifestation la plus spectaculaire du racisme, mais le colonialisme constitue une autre manifestation du mépris des peuples et des cultures différentes. L'arrivée de Chistophe Colomb en Amérique fut ainsi un tournant décisif vers le racisme contemporain puisqu'il contribua à mettre des peuples sous la tutelle des nations occidentales.

De grands noms

Montaigne dans ses essais argumentait contre les préjugés racistes.
Au XVIII siècle, l'Abbé Grégoire qu'on appela «l'ami des hommes de toutes les couleurs» joua un rôle très important dans la lutte pour l'émancipation des Juifs.
Zola, au moment de l'affaire Dreyfus, marqua de son action anti-raciste l'histoire du début du XX siècle.
C'est à ce moment-là que fut créée une organisation amie, la Ligue des Droits de l'Homme, avec qui nous menons les combats d'aujourd'hui. Ensuite, avant même le nazisme fut créée la LICA, Ligue Internationale contre l'Antisémitisme en réponse aux programmes qui avaient lieu dans l'ancienne Russie tsariste.

Le MRAP

Le MRAP, quant à lui, puise ses origines dans la période de résistance au nazisme. La guerre d'Indochine de 1946 à 1954 et la guerre d'Algérie de 1954 à 1962 constituent l'expression du colonialisme de l'état français. Dans la lutte contre la guerre d'Algérie le MRAP fut très actif contre la politique coloniale.
Enfin l'activité du MRAP s'est centrée sur l'immigration. En effet, pendant les trente années glorieuses de l'expansion économique après la guerre, le patronat avait fait venir un grand nombre d'immigrés. Le MRAP s'est alors battu contre le racisme lié à leur exploitation effrénée, et pour le respect de leurs droits élémentaires.

De nouvelles lois

La multiplication des lois discriminatoires, les mesures d'expulsion, la restriction du droit d'asile s'accompagnent de l'expression politique du racisme. La France hier pays des droits de l'homme, ne respecte pratiquement plus le droit d'asile politique; tout persécuté est à priori soupçonné de vouloir entrer illégalement en France.
La loi entend sanctionner la solidarité humaine puisque toute personne ou association prêtant assistance à un clandestin est menacée de prison. Le militant anti-raciste, le prêtre dans son église, le cousin, l'ami qui aide un clandestin deviennent des délinquants aux yeux de la loi et de la police.

Progression

La politique de l'immigration depuis 1962

Evènements	Cadre légal	Mesures concrètes
1962 Indépendance de l'Algérie	Les accords d'Evian prévoient la libre circulation entre l'Algérie et la France	L'immigration est encouragée, ainsi que la naturalisation des immigrés. Début de la grande vague d'immigrants du Maghreb.
1974-75 L'immigration est officiellement suspendue.	Lionel Stoléru, secrétaire d'Etat aux immigrés, crée la prime d'aide au retour. La loi Bonnet prévoit l'expulsion des clandestins.	Le premier choc pétrolier pousse à une maîtrise des phénomènes migratoires.
1986 Première cohabitation Mitterrand-Chirac	Loi Pasqua: reconduite aux frontières des clandestins.	A l'extérieur, les frontières sont officiellement fermées. A l'intérieur, débat sur l'«intégration».
1993 Deuxième cohabitation Balladur-Mitterrand	Lois Pasqua: plus d'acquisition automatique de la nationalité française pour les enfants nés en France de parents étrangers.	Durcissement de la politique d'immigration.
1996 Présidence Chirac Mouvement des «sans-papiers» de l'église Saint-Bernard.	Avant-projet de la loi Debré: vers un statut pour les parents étrangers d'enfants nés en France.	Raidissement dans l'attribution du statut de réfugié politique. Un consensus se dégage pour la lutte contre l'immigration clandestine.

1 La France, encore terre d'accueil?

Le saviez-vous?

Il y a:
- 4,2 millions d'immigrés soit 7,4 % de la population française.
- 300 000 à 500 000 clandestins en France.
- 126 337 personnes ont acquis la nationalité française en 1994.
- 71 % des «beurs*» se sentent plus proches du mode de vie et de culture des Français; 20 % seulement de celui de leurs parents.
- 57 % des Français se déclarent pas très ou pas du tout racistes.

* *un beur* est une personne née en France de parents immigrés maghrébins.

a **Lisez les définitions suivantes et associez-les à un des mots du tableau ci-dessus.**
1 Entrée dans un pays de personnes qui viennent s'y établir.
2 Personne qui est venue de l'étranger, souvent d'un pays peu développé, et qui s'établit dans un pays industrialisé.
3 Personne qui immigre dans un pays ou qui y a immigré récemment.

Le Maroc, l'Algérie et la Tunisie faisaient partie de l'Empire Colonial français.

4 Personne qui a passé illégalement une frontière.

b **Ces phrases sont-elles vraies ou fausses? Corrigez celles qui sont fausses.**
1 En 1962, les Maghrébins pouvaient immigrer en France sans problèmes.
2 En 1974, les clandestins étaient de plus en plus nombreux.
3 Les immigrés avaient la vie plus facile dans les années 90 que dans les années 60.
4 Il devient plus difficile de demander l'asile politique à la fin des années 90.

c **Votre correspondant(e) vous a demandé d'écrire un article sur les lois d'immigration de votre pays pour le magazine de son école. Vous pouvez rechercher des informations sur l'Internet et rédiger votre article à l'ordinateur.**

2 Les sans-papiers

L'entrée en lutte des sans-papiers, le mouvement de solidarité très large et les mobilisations importantes contre les lois ou projets de loi «anti-immigrés» ont fortement marqué ces dernières années. Prétextant la crise et l'extension du chômage, la France comme l'ensemble des pays de l'union européenne mettent en place des politiques de fermeture des frontières.

En mars 1996, 300 Africains surnommés les «sans-papiers» car ils ne possédaient pas de papiers en règle ont demandé la régularisation de leur statut en France. Les lois Pasqua de 1993, qui limitent sévèrement l'accès de la France aux immigrés, ont remis en cause le sort de ces hommes, femmes et enfants. Beaucoup d'entre eux auraient auparavant eu le droit de vivre en France. Ils sont maintenant devenus clandestins, leur statut est illégal.

En août, ils trouvent asile dans l'église St Bernard à Paris. Dix d'entre eux font une grève de la faim. Le cinquante-deuxième jour, la police force les portes de l'église et met fin à toute résistance à l'aide de gaz lacrymogène et de brutalité physique. Les sans-papiers sont maintenant réfugiés au Théâtre du Soleil d'Ariane Mnouchkine. La grève de la faim est finie mais la lutte pour la régularisation continue.

a Ecoutez le témoignage de l'un des ex-grévistes, Hamadi Camara, 34 ans, et ce que pensent Samuel (17ans) et Céline (19 ans), lycéens, de cette affaire. Trouvez des expressions synonymes de celles-ci.

Interview 1	Interview 2
mis à l'écart	dissimulés
normalisés	donner
traditions	racisme
lutte	appui

b Lesquelles de ces phrases s'appliquent à l'enregistrement que vous venez d'entendre?
  1 Les sans-papiers sont exclus de leur famille.
  2 Certains sans-papiers sont en France depuis six ans.
  3 Certains sans-papiers sont des terroristes.
  4 Les sans-papiers réclament les papiers à la police.
  5 La police a utilisé la violence quand elle a évacué l'église.
  6 Personne ne soutient les sans-papiers.
  7 Il y avait beaucoup de policiers dans l'église.
  8 On a essayé de faire comprendre aux sans-papiers qu'ils ne pouvaient pas rester dans l'église.
  9 Hitler disait que le chômage était la faute des immigrés.
  10 Il y avait six grévistes de la faim.
  11 Il y avait du sucre dans l'eau que buvaient les sans-papiers.

3 Manifeste des sans-papiers

a Traduisez le texte ci-dessous en anglais. Essayez de ne pas trop utiliser le dictionnaire.

Nous, sans-papiers de France, avons décidé, en signant cet appel, de sortir de l'ombre. Nous proclamons:

Comme tous les sans-papiers, nous sommes des gens comme tout le monde. Nous vivons parmi vous, pour la plupart, depuis des années. Nous sommes venus en France avec la volonté d'y travailler. Nous ne pouvions plus supporter la misère et l'oppression qui sévissaient dans nos pays, nous voulions que nos enfants aient le ventre plein et nous rêvions de liberté. Nous sommes, en général, entrés régulièrement sur le territoire français. Nous avons été rejetés arbitrairement dans l'illégalité par le durcissement de lois successives. Nous payons nos impôts, nos loyers, nos charges … et nos cotisations sociales, lorsqu'on nous permet de travailler régulièrement! Quand nous ne connaissons pas le chômage et la précarité, nous travaillons durement dans la confection, la maroquinerie, le bâtiment, la restauration, le nettoyage … . Nous sommes parfois des célibataires qui permettons souvent à notre famille de survivre au pays; mais nous vivons fréquemment aussi avec nos conjoint(e)s et nos enfants nés en France ou venus tout petits. Nous avons donné à nombre de ces enfants des prénoms français

© site Web Africains sans-papiers <<de Saint-Ambroise>> http://bok.net/pajol

Stratégie

Translation into English
When you translate a text into English, you should consider the following points:
1 Do not add anything to the meaning of the text.
2 Good English is very important. Read your translation aloud. If it sounds clumsy or if it does not make any sense, rewrite it.

b Choisissez le mot qui convient dans chaque cas.

Nous (1 avions / avons / avaient) en France nos familles. Nous demandons (2 des / les / aux) papiers pour ne plus être victimes des administrations. Le Premier Ministre de la France avait (3 pensé / promettre / promis) que les familles ne seraient pas (4 séparées / séparés / séparé): nous demandons que cette promesse (5 est / ait / soit) enfin tenue. Nous comptons (6 du / sur / de) le soutien d'un grand nombre de Français, dont les libertés pourraient se (7 trouver / trouvé / trouvaient) menacées si nos droits continuaient d'être ignorés. Nous ne sommes pas des (8 illégaux / illégals / clandestins). Nous apparaissons au grand jour. Auparavant nous (9 aurions / auraient / avions) eu le droit de vivre en France.

Grammaire (Rappel!)

The conditional perfect

As in English, the conditional perfect is used to express the idea of «would have done».

Example: Beaucoup d'entre eux auraient auparavant eu le droit de vivre en France.
Before, many of them would have been able to live in France.

It is made of the conditional tense of **avoir** or **être** + **the past participle.**

Examples: Il aurait fini   He would have finished.
Elles seraient arrivées.   They would have arrived.

It is used in the following situations:
With **si** + **pluperfect tense.**

Example: Il aurait travaillé en France s'il avait eu un permis de travail.
He would have worked in France if he had had a work permit.

With **devoir** to express «ought to have / should have»

Example: Ils auraient dû être moins violents.
They should have been less violent.

With **pouvoir** to express «could have / might have»

Example: Vous auriez pu leur expliquer.
You could have explained to them.

Exercice 1
Traduisez ces phrases en anglais.
1   Il aurait dû prouver que ses parents étaient français.
2   Ils auraient pu déposer une plainte.
3   Si ses papiers n'avaient pas été en règle, il se serait fait expulser.
4   La police n'aurait pas dû intervenir.
5   Les habitants du quartier auraient pu être compréhensifs envers les clandestins.

Exercice 2
Mettez le verbe entre parenthèses au conditionnel passé.
1   Ils ... dormir à l'abri. (devoir)
2   Elle ... se cacher. (pouvoir)
3   Si tu m'avais écouté, tu ne ... pas ... dans la rue. (se coucher)
4   Si j'avais eu de l'argent, je lui en ... (donner).
5   Nous ... l'aider. (devoir)

Exercice 3
Traduisez maintenant ces phrases en français.
1   The priest should not have called the police.
2   If Ariane Mnouchkine had not allowed the illegal immigrants to stay in her theatre, they would have had to sleep in the street.
3   The police could have waited before evacuating the church.
4   If the police had arrived earlier, the illegal immigrants would not have entered the church.

4 L'affaire du foulard

Trois jeunes filles qui se rendaient en classe coiffées d'un foulard dit «islamique» ont provoqué un débat national sur la laïcité*.

Ecoutez quatre adolescents dire ce qu'ils pensent de cette affaire et lisez leurs opinions. Dans quel ordre entendez-vous ces opinions sur la cassette?

1   Il faut savoir préserver son originalité, assumer qu'on est de telle origine, essayer de trouver sa propre culture au lieu de tout vouloir effacer.
2   Je plains les femmes musulmanes parce qu'il faut qu'elles cachent tout mais elles en ont l'habitude et peut-être que ça ne les gêne pas.
3   L'école doit être laïque**. Pourquoi afficher ouvertement sa religion? Ça ne peut amener que des problèmes.
4   On devrait pouvoir faire ce que l'on veut. C'est sûr qu'il vaut mieux essayer de s'intégrer mais il faut que les autres comprennent et respectent notre culture.

Glossaire
*la laïcité	secularism
**laïque	secular

5 Pour ou contre le foulard

A deux, débattez de ce sujet en vous servant de votre travail précédent.

Personne A	Personne B
Vous êtes pour le port du foulard à l'école	Vous êtes contre le port du foulard à l'école

Vocabulaire utile pour exprimer une expression contraire:
D'accord, mais il faut savoir que ...
Ce qui me gêne, c'est que ...
Tu as peut-être raison mais il faudrait quand-même dire ...
Oui peut-être mais ...
Tu n'es pas sérieux (se) ...
Tu plaisantes ...

6 Nos lecteurs nous écrivent

Le rédacteur en chef
L'Humanité

Monsieur,
Je viens de lire votre article sur le racisme et l'immigration en France. A mes yeux, une question se pose: l'intégration des étrangers: vue de l'esprit ou possibilité réelle? Le reigne de Le Pen arrive-t-il à sa fin? Il faut le souhaiter. Ses commentaires déplacés assurent qu'il ne sera pas rapidement oublié. Saviez-vous que:

- Le Pen avait fait sa rentrée politique avec pour mot d'ordre: «Je crois à l'inégalité des races».
- Il pense que les étrangers «puent».
- Dans son esprit si les Noirs sont couronnés de succès dans le domaine sportif c'est parce qu'ils sont incapables d'en faire autant mentalement.

Mais Le Pen n'est qu'un cas isolé. Alors pourquoi est-ce-que 15% de la France vote pour son parti?
Les racistes se plaignent souvent de la présence des étrangers dans leur pays. Après la deuxième guerre mondiale, la France a fait appel à la main d'oeuvre maghrébine. Ces Maghrébins ont été installés dans des «cages à lapins« et leur rémunération a été modique. Il n'est pas étonnant que la deuxième génération se sente déboussolée dans ce pays qui n'est pas le sien. Leur logement comme leur avenir est sans issue.
Un maire d'extrême droite a été élu à Vitrolles, dans le sud de la France. Des changements affolants ont pris place: tout d'abord la police a obtenu davantage d'armes à feu.
Vaulx-en-Velin 1990, Mantes-la-Jolie 1991, Dammarie-les-Lys 1997 ... pour ne citer que les émeutes principales. A raison d'une bavure tous les trois mois, la cadence des homicides commis par la police ne semble pas ralentir. Inutile de préciser que les victimes sont invariablement «bazanées».
Peut-être la nouvelle génération se débarassera-t-elle petit à petit des séquelles racistes. L'évolution du Rap et du Raï* ne peut-être qu'un élément positif dans l'unification de la société. Pourquoi les deux chanteurs de NTM (groupe de Rap) ont-ils été condamnés à deux mois de prison avec sursis? Parce qu'à travers leurs paroles ils exposent le côté malsain des forces de l'ordre. Ils parlent de tout ce que les gens ne veulent pas entendre (à l'exception de leurs semblables et de la nouvelle génération qui comprend de plus en plus) le racisme, le sentiment d'exclusion, les préjugés etc. ... .
Je voudrais terminer en remerciant les organisations comme SOS Racisme qui luttent aussi rigoureusement contre ce fléau.

Je vous prie, Monsieur, d'agréer l'expression de mes sentiments distingués.
Julien Faure

Rai*: genre littéraire et musical arabe

Lisez cette lettre à gauche parue dans l'*Humanité* et faites l'exercice qui suit. Cherchez tous les mots que vous ne connaissez pas et ajoutez-les à vos banques de données.

Le saviez-vous?

- 1972: Jean Marie Le Pen crée le Front national dont il devient le président.
- 1998: Le Front national éclate. Le Pen est toujours président du Front tandis que Bruno Mégret,délégué général du mouvement, et ses amis se rassemblent dans un nouveau «Mouvement National».

Le saviez-vous?

SOS Racisme est né en 1985.
- Organisation qui existe dans le monde entier.
- 350 comités en France seulement.

Choisissez les phrases qui décrivent ce que pense Monsieur Faure.

a   Il espère que Le Pen aura moins de pouvoir.
b   Il pense que les étrangers ne sentent pas bon.
c   Il est surpris que la deuxième génération de Maghrébins ne se sentent pas bien en France.
d   Il estime que la nouvelle génération est l'espoir des immigrés.
e   Le raï a un aspect négatif.

Grammaire

Inversion after adverbs

If you start a sentence with one of these adverbs: **à peine, au moins, peut-être, en vain, aussi** (= therefore) and **sans doute**, inversion (as in interrogative sentences) takes place.

Examples: Peut-être la nouvelle génération se débarrassera-t-elle petit à petit des séquelles racistes.
Perhaps the new generation will get rid of racist consequences.
A peine ai-je eu le temps de respirer.
I could hardly breathe.

If you do not use the inversion, then the adverbs must not start the sentence but be placed after the verb.

Example: La nouvelle génération se débarrassera peut-être des séquelles racistes.

7 Portrait

Stratégie

Do not rely too much on your dictionary!
You do not need to understand every single word.
- Words you do not know: do you recognise the root? e.g. talentueux. Are they similar to a word in English? But beware of «faux amis»
- Try to get the gist of every paragraph.
- Use the context and what you already know on the topic.

a Lisez rapidement l'article ci-dessous et prenez quelques notes rapides en français.

b Comparez vos notes avec votre partenaire.

c Résumez maintenant l'article en français (environ 150 mots).

Stratégie

To summarize in French
- Your summary must be as clear as possible: the person reading it might not have seen the original.
- It must of course be as accurate as possible.
- Only mention the main idea : you do not need any examples.
- Do not copy long extracts but try to use your own words.
- Do not forget to use linking words.

La chanson contre les intégristes

Parmi les Maghrébins qui ont réussi: Cheb Khaled, chanteur jovial qui fait de la politique malgré lui.

– Je ne suis pas un politique, je ne suis qu'un messager. Mais vous savez, dans certains pays, chanter la vie et ses plaisirs est déjà presque un acte politique.

Originaire d'Algérie – il est né à Oran le 29 février 1960 - Cheb Khaled sait de quoi il parle. Comme bon nombre d'artistes et d'intellectuels algériens, le chanteur francophone est dans la ligne de mire des terroristes du GIA. Pourtant il n'y a rien de subversif dans ses chansons. Aucun appel à la révolte, pas la moindre diatribe religieuse, pas de propos ouvertement politique, hormis un message d'amour et de paix. Non, Cheb Kaled n'aime qu'une chose: faire la fête, aimer, boire et danser.

Toujours de bonne humeur, le moustachu rigolard est devenu presque malgré lui le symbole de la lutte contre l'intégrisme. «Tous les intégristes», précise-t-il.

Ce qui lui vaut la hargne des «barbus»? Le raï, cette musique populaire dont il est l'un des interprètes les plus talentueux. Une musique aux racines bédouines et paysannes que les femmes chantent traditionnellement dans les mariages, accompagnées d'un violon, d'un accordéon et d'une derbouka. Revisité par Khaled, qui lui a donné des accents flamenco, reggae, funk et rap, sans oublier un zeste d'influence d'Europe centrale, le raï connaît depuis quelques années un succès universel. Affaire de rhythme, de style, de voix.

– Le raï est dans la même situation que le rock ou les premières chansons des Beatles dans les années soixante. Quand une musique invite le corps à bouger, c'est un hymne à la liberté. Le raï parle de l'ivresse au sens noble du terme.

Didi, sorti en 1992, a eu énormément de succès. On le fredonne au Japon et aux Pays-Bas, au Brésil comme en Egypte, en Turquie, et même en Israël. En Inde, Didi vaut à Khaled de dépasser Michael Jackson au hit-parade des chanteurs les plus populaires.

– Même quand on ne comprend pas les paroles, l'ambiance de mes paroles suffit.

Amis et voisins sont unanimes à reconnaître le talent du petit garçon Aïcha, dont les paroles et la musique sont signées Jean-Jacques Goldman, bat aussi tous les records de vente. Pour Kahled, c'est à la fois l'occasion de travailler avec quelqu'un qu'il admire et d'envoyer les intégristes au diable. Pour autant, n'attendez pas de lui de grandes déclarations.

– Un juif et un arabe qui font de la musique ensemble, je trouve ça beau, sourit-il simplement.

Avec la France, qu'il considère comme sa seconde patrie – il est né alors que l'Algérie était encore française-, le chanteur vit une histoire d'amour et d'admiration réciproques. C'est ici que ses titres ont commencé leur carrière mondiale, ce gigantesque raz-de-marée qui lui permet de caracoler en tête de toutes les ventes à l'étranger. Récemment fait chevalier des Arts et des Lettres, il avoue sa fierté quand une institution ou un ambassadeur français lui demande de représenter notre pays à l'étranger.

Glossaire

le GIA most active militant group in Algeria. Their aim is to exterminate all Jews, Christians and infidels in Algeria.
l'intégrisme fundamentalism
une derbouka a musical instrument used in Algeria
Chevalier des Arts et des Lettres distinction in France

8 La Haine

 Depuis longtemps, la culture française s'intéresse à la marginalisation. Ceci est apparent dans de nombreux romans, documentaires ou autres films. Un film a provoqué bien des remous: La Haine de Mathieu Kassovitz (1995). C'est un film réaliste qui met en image le quotidien de trois jeunes, Saïd, Vince et Hubert, tous trois issus d'un quartier à risque de la banlieue parisienne. Mathieu Kassovitz évoque différents problèmes de notre société tels que la violence, le racisme et les bavures policières.

a   Lisez le résumé du film et sa critique.

L'histoire

Une émeute a eu lieu dans une cité défavorisée et sans espoir de la banlieue parisienne. La Haine raconte l'histoire de trois jeunes dont un des amis a été mortellement blessé par un agent de police. Vincent Cassel joue Vince, un jeune Juif, le seul des trois qui ait vraiment «la haine» des flics: il vole un pistolet à la police pour venger son ami. Il hait aussi le système, la société , en fait tout. Et c'est cette haine qui va l'entraîner, lui et ses deux amis dans une spirale qui paraît inévitable. Ses deux amis sont un Arabe, Saïd, et un Noir, Hubert. Bien entendu, Mathieu Kassovitz en profite pour décrire l'environnement des trois jeunes et les structures qui ne sont pas totalement étrangères à l'issue de leur aventure d'un jour. Ces jeunes comme beaucoup d'autres jeunes qui habitent des cités de banlieue sont confrontés quotidiennement à la violence, la pauvreté, la drogue et le chômage.

Commentaire

Filmé en noir et blanc, La Haine est un film sombre et hyper-violent. Il présente une vue pessimiste et une issue inévitable. Il fait alterner des moments de violence psychologique, physique, et des périodes de détente, dues au language employé par les personnages ou par les situations absurdes dans lesquelles ils se mettent eux-mêmes. Les critiques sont d'accord pour dire que ce film est un petit chef-d'oeuvre. Les plans sont originaux, souvent inattendus, les acteurs sont d'une rare justesse, et l'histoire est extrêmement efficace. C'est le genre de film qui laisse un goût amer dans la bouche lorsqu'on l'a vu, le genre de film après lequel on reste assis un moment dans la salle à regarder le générique de fin. Après l'avoir vu, on repense à toutes les images et aux réflexions personnelles qu'il a générées. En effet, Mathieu Kassovitz ne propose pas de solution, ne dénonce personne comme principal responsable, mais montre de manière implacable le dysfonctionnement d'un système dans lequel les gens ne sont pas disposés à faire d'efforts pour comprendre l'autre. Il s'agit du meilleur film français qu'il m'ait été donné de voir. Sombre, violent, tranchant comme ce qu'il décrit.

b   Trouvez l'équivalent de:
1. a riot
2. deprived
3. fatally injured
4. to avenge
5. bitter

c   Reliez les débuts et les fins de phrases suivants:

1. La Haine est l'histoire de jeunes
2. L'un de leurs amis
3. Vince veut
4. Dans les cités, la violence et la pauvreté
5. Dans La Haine, le réalisateur veut

a. a été tué par un policier.
b. que les spectateurs prennent conscience du problème.
c. qui habitent dans une banlieue de la région parisienne.
d. venger son copain.
e. sont omniprésentes.

9 Et maintenant à vous!

Ecrivez la critique d'un film que vous avez particulièrement aimé.
Adjectifs ou expressions qui pourront vous être utiles:
il s'agit de ...
marrant
typique
spectaculaire
plein de suspens
effets spéciaux
... joue très bien dans le rôle de ...
le personnage de ... est très convaincant

10 En bref ...

Les personnages de La Haine ne sont pas une exception. Le rôle croissant des mineurs dans la criminalité ou la délinquance est particulièrement net dans les affaires de drogue, mais aussi dans la délinquance dite de «proximité» comme les destructions et les dégradations, les vols de voiture. La progression est nette aussi pour les crimes et délits contre les personnes.

a   Lisez les faits divers ci-dessous:

Grenoble
Bus attaqué: un jeune homme écroué
Un jeune homme de 18 ans qui avait matraqué un chauffeur de bus mercredi en compagnie d'une bande de jeunes à Pont-de-Claix, dans la banlieue grenobloise, a été mis en examen pour coups et blessures volontaires avec arme et incarcéré. Le chauffeur a dû recevoir cinq points de suture à l'hôpital.

Tours
Un jeune écroué pour meurtre
Un jeune homme de 18 ans a été mis en examen pour homicide volontaire et écroué à Tours pour le meurtre d'un étudiant de 25 ans qu'il avait tué d'une balle de pistolet 22 LR, apparemment «sans mobile», dans la nuit du 20 au 21 janvier. Le suspect, sans emploi et dont l'identité n'a pas été révélée, a été qualifié d'«immature» et ne se serait pas «rendu compte de la portée de son geste».

Meurthe-et-Moselle
Des jeunes de 8 à 15 ans impliqués
Une cinquantaine d'enfants de 8 à 15 ans s'en sont pris aux camions d'un cirque et aux animaux de la ménagerie en leur lançant des pierres. Cela s'est passé dimanche après-midi sur un parking près de la salle de sport à Mont-Saint-Martin, dans une ZUP particulièrement difficile de Longwy (Meurthe-et- Moselle). L'un des responsables de ce cirque aurait alors fait claquer un fouet de dressage. Rendue furieuse, la bande s'en est prise alors au matériel et aux bêtes effrayées. La police, à bord de deux voitures, est intervenue aussitôt. Là encore des pierres ont fusé et l'un des pare-brise a volé en éclats. Après discussions, le calme est revenu malgré tout.

Le saviez-vous?
- Les mineurs délinquants ou criminels représentent aujourd'hui plus d'un cinquième des personnes mises en cause dans les enquêtes de police contre 15 % au début des années 90.
- Pour 62% des Français, la principale cause de l'insécurité est le chômage, devant la drogue (30%), la pauvreté (29%) et l'immigration (20%).

b   Trouvez les synonymes
1   emprisonné (2 mots)
2   avait frappé
3   un crime (2 mots)
4   avait abattu
5   au chômage
6   a attaqué
7   a agi

11 Une capitale à risque?

Un meurtrier en série, dont la dernière victime date du mois de novembre est encore en liberté. On sait que c'est sans doute lui qui a tué quatre jeunes femmes et en a agressé une cinquième qui lui a échappé. Le travail de la police est mis en doute. Comment les Parisiens ressentent-ils les problèmes quotidiens de la sécurité dans Paris et que font-ils pour se protéger? C'est la question que nous avons posée à trois d'entre eux.

a   Ecoutez le dialogue sans interruption.

b   Le passage ci-dessous résume ce que vous venez d'entendre. Malheureusement il y a huit erreurs. Réécrivez les phrases correctement.

Dounia a <u>vingt-deux</u> ans et travaille dans un <u>club</u> jusqu'à une heure avancée de la nuit. Quand elle a fini son travail, elle ne rentre jamais à pied. Elle <u>aimerait bien avoir</u> un portable pour sa sécurité. Elle pense que la police aurait dû <u>arrêter le tueur</u>. Olivier, quant à lui, pense que Paris <u>peut être comparé</u> à Chicago et que les femmes ne devraient pas s'aventurer dans certains quartiers. Selon lui, la Police n'a pas suffisamment de moyens pour agir. Sonia, elle, a eu recours à la police parce qu'elle s'est fait agresser. Un soir, après une soirée, elle était rentrée <u>en bus</u>. Alors qu'elle était <u>presque arrivée</u>, un homme s'est approché et elle <u>a tout de suite senti</u> que quelque chose n'était pas normal. Il s'est jeté sur elle mais s'est enfui quand Sonia s'est mise à crier.

12 Les parents responsables?

Lisez le texte: Les parents au banc des accusés.

Les parents sont-ils responsables de leurs enfants délinquants? On l'appelle Rat Boy. Il est la terreur de Newcastle, en Angleterre. Pour voler, Rat Boy se cache dans les cages d'ascenceurs, gambade sur les toits, se faufile dans les conduits d'aération. Il a commis plus de 170 cambriolages. Rat Boy n'a que 14 ans.

L'Angleterre tremble devant tous les «rat boys», elle s'inquiète de la progression de la délinquance juvénile.

Un rapport français a relancé le débat sur le rôle et la responsabilité de la famille et des parents. Partout en Europe la même question se pose. Le Royaume-Uni, l'Espagne et l'Italie envisagent de modifier leur loi. En France, deux mesures font l'objet de polémiques: la possibilité de punir les parents de mineurs délinquants avec des amendes ou de la prison ferme. La presse anglaise ne cesse de citer des chiffres alarmants: un quart des délinquants a moins de 18 ans, environ sept millions de méfaits sont, chaque année, commis par des mineurs. La nouvelle loi anglaise contient des mesures visant à éviter la prison. En effet, le projet britannique insiste sur la nécessité de remplacer les peines d'emprisonnement par des peines de réparations, effectuées par le délinquant, au profit des victimes ou de la communauté.

Demeurent, en revanche, des propositions plus répressives. Le couvre-feu (interdiction de sortir la nuit) sera imposé aux mineurs de moins de dix ans et à certains délinquants.

De nouveaux centres fermés, qualifiés de «collèges du crime» sont expérimentés. Très coûteux car disposant d'un personnel éducatif important. Ils font l'objet de polémiques. Certains pensent que, de façon générale, il vaut mieux maintenir les enfants dans le système général afin de ne pas les marginaliser. Un mineur va faire les quatre cents coups dès que la nuit est tombée? Les juges anglais pourront contraindre son père et sa mère à demeurer à leur domicile après 22 heures pour s'assurer que leur enfant n'est pas dans la rue. En cas de non-respect, ils seront condamnés à des amendes ou à de la prison.

L'Italie s'apprête à franchir un pas supplémentaire. Plus question de centres fermés ou de responsabilisation des parents. Les magistrats optent dès que possible pour un traitement social de la délinquance des mineurs. Mises sous tutelle et programmes de réinsertion limitent l'option de la prison aux cas les plus graves.

A force de vouloir supprimer tout recours à la prison, on risque d'aller trop loin dans la libéralisation.

Glossaire

faire les quatre cents coups	to get in a lot of trouble
mises sous tutelle	put into care

b Répondez aux questions suivantes en français:
1 Qui est Rat Boy et que fait-il?
2 De quoi s'inquiètent tous les pays européens?
3 En France, quelles mesures font l'objet de discussions?

4 En Angleterre, qu'est-ce que la nouvelle loi envisage d'éviter et comment?
5 Qu'est-ce que les jeunes de moins de dix ans n'auront pas le droit de faire?
6 Quel est l'inconvénient des centres fermés?
7 Les Italiens sont en faveur de quel système?

c Ecrivez un paragraphe pour le magazine français de votre école sur la délinquance juvénile. Ecrivez ce que vous pensez:
- des causes
- des sanctions possibles
- des solutions possibles

Voici quelques phrases qui pourront vous être utiles:
Je ne pense pas que + subjunctive
- Il faut certainement tenir compte du rôle des parents: les parents travaillent / moins de supervision / contrôle
- Les autres influences: les mauvaises fréquentations / la télévision / l'ennui en particulier dans les cités ...
- Les sanctions qui pourraient être appliquées: les peines de prison / les amendes / le dédommagement des victimes / le travail pour la communauté / les centres de réinsertion ...
- On pourrait éviter la délinquance juvénile grâce au couvre-feu pour les plus jeunes / éduquer les parents ...

13 Fait divers

a Ecoutez ce fait divers. Lisez les phrases qui suivent et remplissez les blancs avec le numéro d'une des expressions.
a Le chauffeur a essayé d' ... au contrôle de police.
 1 échapper
 2 éviter
 3 indiquer
b Les complices avaient ... une voiture.
 1 avoué
 2 détruit
 3 dérobé
c Le chauffeur a été ... aux jambes.
 1 tiré
 2 blessé
 3 mal
d Les deux complices se sont ... .
 1 sauvés
 2 pris la fuite
 3 partis avec la voiture volée

b Travail à trois: choisissez un des faits divers précédents et essayez de le mémorisez. Fermez votre livre et parlez-en à votre partenaire.
Vous pouvez commencer par: Il s'agit de ...

c En vous inspirant de ces faits divers, écrivez votre propre fait divers et enregistrez-vous.

14 Peine capitale ou non?

a **Lisez la lettre que Robert Badinter a écrite au *Nouvel Observateur*. Dans cette lettre, Robert Badinter dit pourquoi aucune vie, jamais, ne peut se réduire à un crime, si terrible soit-il.**

Mort, où est ta victoire?

L'exécution de Karla Faye Tucker a fait la une de tous les journaux. Toute exécution d'un être humain est un supplice, même si elle est accomplie par une intervention médicale, une injection, par voie d'aiguilles introduites dans les veines, un produit destiné à tuer et non à sauver l'être vivant sur la table d'opération. Ce supplice-là, comme toute exécution, est un outrage à l'humanité et, pour ceux qui croient en Dieu, un sacrilège. En enlevant Karla à la communauté des hommes, cette exécution l'a empêchée de changer au cours des quatorze années écoulées depuis son crime. Elle interdit que Karla puisse être utile, jusque dans la prison, à d'autres êtres humains. Elle lui enlève le droit d'exister encore, fût-ce dans la plus misérable condition.

Je voudrais simplement rapporter une histoire vécue. Il y aura bientôt vingt ans, en France, un homme, très jeune comme Karla mais qui avait eu plus de chance qu'elle dans la vie parce qu'il avait grandi auprès d'une mère qui l'adorait, ce jeune homme avait, comme on dit, «mal tourné». Il avait commis des infractions graves, avait été condamné et emprisonné. Bénéficiaire d'une permission de sortie, il n'avait pas reintégré la prison, et avait vécu de forfaits. Interpellé une nuit, il avait tué un agent de police et blessé un vigile qui voulaient l'arrêter. Il avait été jugé. Il n'avait aucune circonstance atténuante. La cour et les jurés le condamnèrent à mort. Il tenta de s'évader, avec l'aide d'une arme à feu introduite par une jeune avocate qui ne supportait pas la pensée qu'il soit exécuté. Par cette tentative-là, il se perdait plus sûrement encore.

Nous étions en pleine campagne présidentielle. On savait que, si François Mitterrand l'emportait, alors il gracierait les condamnés à mort en attente de leur exécution. Le 11 mai 1981, au lendemain de l'élection de François Mitterrand, je m'en fus à Fresnes voir ce jeune homme au quartier des condamnés à mort. Au cours de cet entretien, je lui dis qu'il serait gracié à coup sûr [...]. Je lui dis aussi que, même dans une prison, l'esprit peut donner au détenu un espace de liberté. Il m'écoutait avec intensité. L'entretien s'acheva. Je lui souhaitai bonne chance. Je ne l'ai pas revu depuis lors.

Bien des années s'écoulèrent, sensiblement le même délai qu'aura connu Karla depuis sa condamnation. J'appris un jour par un collègue universitaire que cet homme, le jeune condamné à mort de 1980, venait de soutenir sa thèse de doctorat ès lettres. Il poursuit ses études et ses travaux, avec toute la difficulté qu'on imagine, dans la maison centrale où il est détenu. Le jour viendra sans doute où il bénéficiera d'une libération conditionnelle.

Sa voie est tracée. Elle n'est pas celle que lui avait assignée la condamnation à mort d'octobre 1980. Qui avait raison ce jour-là ? Ceux qui voulaient qu'il fût guillotiné? Ou ceux qui croyaient qu'aucune vie d'homme ne se réduit à un crime, si terrible soit-il, et que tout être humain peut changer pour le mieux? Karla elle aussi, avait donné tous les gages de l'amendement. Elle aurait pu, elle aussi, faire des études, aider ses codétenus, être utile aux autres. L'Etat du Texas ne l'a pas voulu. Je pense à son destin, à celui du jeune condamné à mort de 1980 aujourd'hui docteur ès lettres, une phrase me revient en mémoire: «Mort, où est ta victoire?»

Robert Badinter

Carte d'identité
Karla Faye Tucker

1984: arrêtée pour les meurtres de son ex-amant et de sa partenaire.
L'instrument du meurtre: une pioche.
Le moment: dans leur sommeil.
Condamnée à mort et exécutée le 3 février 1998.

Glossaire

Cour d'assises	Crown Court
Cour de cassation	Court of Appeal
un pourvoi	an appeal

Le saviez-vous?

Avocat et universitaire, Robert Badinter est le ministre de la justice qui a aboli la peine de mort en France, en 1981.

b Ces phrases sont-elles vraies ou fausses? Corrigez celles qui sont fausses.

1 Karla a été exécutée 10 ans après avoir tué.
2 Le prisonnier français dont parle Badinter avait eu une enfance plus heureuse que Karla.
3 Alors qu'il était en permission, il en avait profité pour rester en liberté.
4 Après sa condamnation à mort, une amie lui avait procuré une arme pour s'enfuir
5 Il a fait des études de médecine en prison.

Grammaire

The imperfect subjunctive

This tense is not used a lot. It is based on the second person singular (tu form) of the past historic. A few examples will be enough for you to recognise it in use.

jouer → **je donnasse**
être → **il fût**
avoir → **elles eussent**

Example: Ceux qui voulaient qu'il fût guillotiné
Those who wanted him to be guillotined

---

15 Forum

a Ecoutez ces jeunes français vous parler de la peine de mort et décidez s'ils sont pour ou contre la peine capitale.

b Réécoutez les commentaires. Reconstituez les phrases suivantes qui reflètent les opinions des jeunes.

1 Il est certain que la loi du Talion
2 Il faudrait
3 De nombreuses enquêtes montrent que
4 Je ne pense pas que l'on
5 Il ne faudrait pas

a enfermer les criminels plutôt que de les tuer.
b puisse se fier à la justice.
c est dépassée.
d oublier les victimes dans tout ça.
e la peine de mort n'est pas dissuassive.

---

16 Opinions

Travaillez à deux.

Partenaire A	Partenaire B
Vous êtes pour la peine de mort	Vous êtes contre la peine de mort
• pardonner c'est difficile	• en tuant, on ne rend pas la vie à quelqu'un; revanche acceptable dans certains cas le verdict de la justice n'est pas fiable à 100%
• effet dissuasif	
	• la peine de mort est un acte barbare et primitif
• il faut penser aux victimes et aux familles	• il y a d'autres solutions

---

17 Dissertation

En vous inspirant de votre travail précédent, vous rédigerez la dissertation suivante (250 mots).
La peine capitale devrait être abolie dans tous les pays. Discutez.

Paragraphe 1 Introduction	• montée de la violence • public insécurisé • excite les passions du public sentiments utilitaires opposés aux sentiments humanitaires
Paragraphe 2 Développement	**Contre:** erreurs judiciaires • loi du Talion (oeil pour oeil, dent pour dent): conception barbare. réflexe animal de vengeance • respect de la vie **Solution:** récupérer et réadapter le délinquant **Pour:** penser aux victimes • possibilité de récidive • atrocités de certains crimes • réclusion criminelle pire que la peine de mort • rassure le public
Paragraphe 3 Conclusion	• le point le plus important (pour vous) **Solution(s) possible(s)?**

Examen

1 Stop trafic

a Lisez le texte:

Course poursuite avec un camion de clandestins

Le trafic d'immigrés continue de plus belle à travers le détroit du Pas-de-Calais. Six semaines après la découverte des cadavres de 58 immigrés clandestins chinois dans un camion frigorifique venant des Pays-Bas dans le port de Douvres, 30 hommes âgés de 20 à 40 ans ont été découverts vivants, dans un camion qui venait de débarquer samedi matin d'un ferry arrivant de Calais. Il y avait 28 immigrés originaires du Bangladesh et deux autres hommes dont la police n'a pas voulu préciser les identités. Ils ont été découverts entassés dans un camion de sept tonnes, qui n'a pu être intercepté qu'à l'issue d'une course-poursuite de 100 kilomètres dans le Kent depuis Douvres.

Huit voitures de police à ses trousses

En débarquant du ferry, le camionneur avait fait semblant de ne pas voir le signe de l'officier des douanes qui l'invitait à quitter la file des véhicules sortant du bateau. Il avait réussi à quitter le port et à prendre l'autoroute de Londres. Les douaniers ont immédiatement averti la police qui a lancé une chasse à l'aide de huit voitures et a installé des barrages sur les routes. Le camion s'était fondu dans le flots des véhicules sur l'autoroute M 20, avant d'être repéré par les voitures de police à ses trousses. Le routier a alors tenté de sortir de l'autoroute, mais il est tombé sur un barrage qu'il a essayé de forcer. Deux voitures de patrouille ont été endommagées, un policier a été blessé au dos et le poids lourd s'est retrouvé dans le fossé. Le chauffeur, Julian Lee, 26 ans, employé dans un supermarché, a eu un bras cassé. En ouvrant la porte arrière du camion, les policiers ont trouvé les 28 Asiatiques terrorisés. Le camionneur arrêté va devoir payer une amende de l'équivalent de 20000 F par clandestin, soit près de 600 000 F en tout. Une sanction appliquée automatiquement depuis quatre mois à tous les routiers surpris avec des clandestins dans leur camion. Il risque aussi dix ans de prison pour avoir tenté d'introduire illégalement des étrangers dans le pays. Il comparaîtra le 4 août devant les juges de Folkestone. Un seul des clandestins a demandé l'asile politique. 23 vont être renvoyés en France d'où ils sont arrivés. Les autres ont été libérés.

Ce nouveau cas démontre que le trafic d'êtres humains continue de monter en puissance dans les ports de la Manche et de la mer du Nord.

b Relisez le texte et trouvez l'équivalent exact des expressions ci-dessous:

1 le corps de quelqu'un qui est mort
2 arrêté
3 informé
4 action de barrer un passage
5 causer des dégâts
6 une personne qui a passé illégalement une frontière
7 lieu où on peut se réfugier sans danger

(7 points)

c Complétez les phrases ci-dessous en choisissant le mot qui convient dans chaque cas.

1 Sans doute (il est / est-il / est il) vrai que, depuis quelques années, les Français tolèrent plus les immigrés et moins la discrimination.

2 Des dizaines de milliers de personnes qui auraient auparavant (bénéficié / bénéficiées / bénéficier) d'un statut légal se sont (retrouvé / retrouver / retrouvées) sans papiers.

3 Il ne faudrait pas (oublié / oublier / oublie) qu'il y a toujours, en France, soixante mille sans-papiers (non-régularisés / non-régularisé / non-régulariser).

4 A Toulouse, des sans-papiers (que / qui / dont) viennent d'(entamer / entamé / entamant) une grève de la faim ont été arrêtés et placés en rétention.

5 Pour qu'il y (a / ait / avait) chez les Français une réelle prise de conscience il faut avant tout que les immigrés (soient /sont / aient) vus et entendus.

6 Le combat (que /qui / dont) mènent les sans-papiers est démocratique et ils ne veulent pas (utilisé / utiliser / utilisant) la violence.

7 Des milliers de personnes sans droits, sans protection sociale (travaille / travaillant / travaillent) aujourd'hui dans des conditions qui rappellent (celle /celles / ceux) du début de l'ère industrielle en France.

(13 points)
Total: 20 points

d En visite chez votre correspondant(e) français(e), vous avez lu l'article précédent dans le journal et vous écrivez une lettre (200/250 mots) au rédacteur en chef du journal pour exprimer vos réactions et suggérer des solutions que les autorités pourraient apporter à ce problème.

(20 points)

2 Les immigrants sous pression

France! terre d'asile? Mme Mégret, la femme du bras droit de Jean-Marie Le Pen a été élue maire de Vitrolles. Pour la quatrième fois, le Front National emporte une mairie française. La montée de l'extrême droite en France est une réalité et les difficultés rencontrées par les immigrés en sont une conséquence.

a Ecoutez cet entretien réalisé à la sortie d'un lycée français.

b Répondez aux questions suivantes en français:

1 Que pense Marianne des lois sur l'immigration? (3)

2 Pourquoi est-ce que Fatima est touchée par le problème de l'immigration? (2)

3 D'après Marianne, de quoi les étrangers sont-ils responsables? (2)

4 Quels ont été les reproches faits à Chirac pendant sa campagne présidentielle? (1)

5 D'après Stéphane, quel est le seul but des hommes politiques? (1)

6 Quelles sont les solutions proposées pour combattre l'extrême-droite? (3)

7 Est-ce que ces jeunes iront voter et pour qui?
N.1 Marianne
N.2 Fatima
N.3 Stéphane
N.4 Vincent (8)

(20 points)

3 Interview

Imaginez un dialogue entre deux «sans-papiers». Vous vous poserez au moins dix questions chacun. Vous parlerez de vous, des raisons qui vous ont poussé(e) à quitter votre pays, de votre journée quotidienne et de votre avenir. Vous ajouterez aussi un message pour le gouvernement.

(20 points)

4 Travail de recherche

Choisissez un des titres suivants. En vous aidant de votre travail précédent et/ou en faisant des recherches sur l'Internet, vous en parlerez devant votre classe pendant trois minutes environ.

a Certains pensent que les immigrés sont responsables en grande partie de la délinquance et la criminalité. Etes-vous d'accord?

b Les immigrés au chômage n'ont rien à faire en France et il est normal que le gouvernement les renvoie dans leur pays.

c Les écoles doivent faire face à un nombre croissant d'enfants d'immigrés. D'après vous quels sont les problèmes posés par ces enfants?

d Comment pourrait-on faciliter l'intégration des immigrés dans la société?

e L'influence des immigrés sur la vie et sur la culture françaises.

Langue: 10 points
Contenu: 10 points
Compréhension: 10 points
Total: 30 points

a   **Lisez le texte:**

L'archipel des longues peines

Ils sont quelques centaines en France à purger des condamnations supérieures à vingt ans de prison. Les uns cherchent la rédemption dans le travail, les études ou ... le militantisme. Les autres attendent, sans espoir, ou se laissent couler. Des prisons modèles aux centrales les plus dures, ces hommes et ces femmes, auteurs de crimes le plus souvent atroces, survivent à la lisière de la folie. Faut-il maintenir cet enfermement sans fin ? Comment faire quand la lourdeur des peines augmente régulièrement sans réduire le nombre des crimes?

La prison de Caen. Aujourd'hui 421 détenus y purgent de longues peines. Deux tiers d'entre eux sont des criminels sexuels. Le nom ou le visage de certains font resurgir des crimes abominables. Sur tout un étage, la prison ressemble à une ruche, à une maison de la culture. On pousse une porte et on découvre des hommes absorbés par leur travail. Il faut les occuper, évidemment. Les activités manuelles plutôt que les émeutes ou les tentatives d'évasion. Mais il faut les aider à «se reconstruire». C'est, en principe, l'une des missions de la prison, qui doit amender autant que punir. C'est ce qu'on dit dans les ministères et dans les textes de loi. Pourtant beaucoup de ces hommes sont là depuis quinze ans, vingt ans, vingt-cinq ans. Ils suivent des psychothérapies, ont terminé leur période de sûreté, bénéficient d'expertises psychiatriques favorables, d'un certificat de logement, d'une promesse d'embauche. Ils ont effectué souvent près des deux tiers de leur peine. Mais ils ne sortent pas. Parmi eux, Patrick Henry. Vingt-deux ans après les faits. Ces dernières semaines, la presse a rappelé le terrible enlèvement du petit Philippe Bertrand à Troyes qui avait traumatisé la France en 1978. Avant et après, il y a eu d'autres assassins d'enfants. Mais Patrick Henry a été condamné à la perpétuité et à la célébrité. Est-ce parce que, contre toute attente, il a échappé à l'échafaud? Grâce à ses avocats, Robert Bocquillon et surtout Robert Badinter, qui avait fait de ce procès un tournant décisif dans le combat contre la peine de mort. Pour ne pas sombrer, Patrick Henry a travaillé comme un fou pour obtenir une licence de mathématiques puis pour se perfectionner en informatique. Dernièrement, avec trois autres détenus, il a monté une mini- entreprise à l'intérieur de la prison. Il crée des logiciels pour l'Education nationale, entre autres. Dehors, un employeur a promis de l'embaucher quand il sortira de prison. Ces dernières années, tous les experts qui l'ont examiné ont rendu des rapports positifs. Patrick Henry a-t-il «payé»? Peut-on jamais «payer» pour de tels crimes? Rien, évidemment, ne viendra réparer la douleur des victimes et de leurs proches. Beaucoup n'accepteront jamais; comment le leur reprocher?

Quant à Nathalie Ménigon, après douze ans de régime carcéral, elle assure ne plus rien attendre que la mort. Et Lucien Léger, l'étrangleur du petit Luc Taron, a-t-il lui aussi basculé dans la folie? Le plus ancien prisonnier de France est détenu depuis trente-six ans. De 1985 à 1997, la commission d'application des peines a rendu neuf avis favorables à sa libération. Toutes refusées par les gardes des Sceaux. Explications: un crime qui a marqué l'opinion, le désir de vengeance du père de la victime, et l'incapacité de Léger à se réadapter. Incapacité à vivre libre après trente-six ans de prison?

Il y a aujourd'hui en France 583 condamnés à perpétuité.

b Ces phrases sont-elles vraies ou fausses? Corrigez celles qui sont fausses.

1 Il n'y a que 100 prisonniers qui ont été condamnés à plus de vingt ans de prison.
2 Dans la prison de Caen, 421 prisonniers ont été condamnés pour des crimes sexuels.
3 Patrick Henry est en prison depuis vingt-deux ans.
4 Robert Badinter, l'avocat d'Henry, s'était servi de son procès pour lutter contre la peine de mort.
5 Ce qui a empêché Henry de devenir fou, ce sont les études et le travail.
6 Nathalie Ménigon s'en est aussi bien sortie.
7 Il y a 36 ans qu'elle est en prison.
8 En France, 583 prisonniers sont condamnés à la prison à vie.

(12 points)

6 L'info du jour

Ecoutez ce bulletin d'information et remplissez les blancs:

7 Dissertation

On ne devrait pas punir les jeunes délinquants, on devrait punir leurs parents. Discutez. (250 mots)

Grammaire: 15 points
Contenu: 30 points
Total: 45 points

 Quelques mots ...

Mouvement mondial composé de bénévoles, Amnesty International tente d'empêcher les gouvernements de commettre certaines des violations les plus graves des droits de la personne humaine. L'Organisation cherche essentiellement à obtenir:
- la libération de tous les prisonniers d'opinion, c'est-à-dire des personnes détenues du fait de leurs convictions politiques ou religieuses ou pour toute autre raison de conscience ou du fait de leur origine ethnique, de leur sexe, de leur couleur, de leur langue, de leur nationalité ou de leur origine sociale, de leur situation économique, de leur naissance ou de tout autre situation – et qui n'ont pas usé de violence ni préconisé son usage
- un procès équitable dans un délai raisonnable pour les prisonniers politiques
- l'abolition de la peine de mort, de la torture et de tout traitement cruel à politiques
- la fin des exécutions extrajudiciaires et des «disparitions»

«Dans le monde entier, sous tous les régimes, des gouvernements s'arrogent le droit de jeter en prison ceux et celles dont le seul tort est d'avoir des idées différentes des leurs. Ils les détiennent souvent sans jugement, ou au terme de procès truqués. Ils les torturent. Les exécutent. Les font 'disparaître'.

Les responsables aimeraient bien qu'on oublie tout ça, qu'on fasse comme si. Mais, dans le monde entier, des gens comme vous et moi refusent d'accepter l'inacceptable «Maintenant, ça suffit». Passant de la parole aux actes, ils dénoncent les mensonges des uns et le silence complice des autres. Ils n'exigent que des choses: un la vérité; deux, la justice. Si vous en arrivez à cette même conclusion, vous pouvez vous joindre à AMNESTY.»

Aux Philippines, il y ... (1) ... actuellement plus de 1000 personnes ... (2) ... à mort parmi lesquelles se trouvaient six adolescents dont l'un âgé de 14 ans. Après de nombreuses années sans application de la ... (3) ... de mort, la justice a procédé cette année à cinq ... (4) ... capitales. Le président Estrada envisage même de faire baisser l'âge limite à 18 ans ... Amnesty International est ... (5) ... à plusieurs reprises pour rappeler le gouvernement philippin à la raison et lui éviter d'enfoncer toute une société dans la culture de la ... (6) ... . L'organisation humanitaire a attiré l'attention du public sur l'influence des Etats-Unis: les autorités philippines ont, en effet, importé les techniques américaines d'injection ... (7) ... .

Il convient donc de répéter combien le recours à la peine de mort constitue un scandale pour notre époque. Son ... (8) ... dans la lutte contre le crime et le caractère arbitraire de son application ne font plus de doute: aux USA, la peine capitale frappe essentiellement les pauvres et les minorités ethniques. De plus, les erreurs ... (9) ... sont fréquentes. Si nous considérons enfin la dimension spirituelle de cet acte, il s'agit d'un crime odieux qui nie à l'être humain le plus fondamental de ses droits: celui d'évoluer.

En prônant cette méthode pour ... (10) ... la violence, le gouvernement philippin illustre à merveille son incapacité à faire évoluer son propre pays. Le président Estrada a pourtant déjà reçu un avertissement sérieux à ce sujet: en juin de cette année a eu lieu l'exécution d'un homme accusé du ... (11) ... de sa fille. Celle-ci a demandé la clémence pour son père, avec le soutien de l'Eglise catholique. Le coup de téléphone devant interrompre l'exécution est malheureusement arrivé deux minutes trop tard. Oui en ce troisième millénaire, il devient urgent d'abandonner les voies de la ... (12) ... et de la négativité!

(12 points)
Total: 24 points

Extra

1 Elise ou la vraie vie

Claire Etcherelli fut la gagnante du prix fémina avec son roman *Elise ou la vraie vie*, publié en 1967. L'histoire se passe en France pendant la guerre d'Algérie. L'auteur décrit un Paris muti-culturel, avec tous les problèmes d'intégration que cela pose. D'autre part, ce roman traite des difficultés rencontrées par les immigrés et des sentiments qu'éprouvent la majorité des Français à l'égard des immigrés et en particulier des Algériens.

Elise ou la vraie vie présente tous les symptomes d'une histoire vécue. Elise quitte la province et s'installe à Paris où elle découvre le travail en usine. C'est l'époque de la guerre d'Algérie et Elise va tomber amoureuse d'un ouvrier algérien, chose impensable à l'époque. Cela va engendrer un conflit avec les autres ouvriers de l'usine de voitures où ils travaillent tous les deux. Les ouvriers n'aiment pas les Algériens présents en France et cette situation forcera les deux héros, Elise et Arezki, à se voir en cachette.

a Lisez cet extrait du livre:

L'autre me regarda durement.
– Tu appelles ça des femmes! ...
Ils sortirent dans le couloir. Arezki était toujours encadré par les deux policiers tenant leur arme à l'horizontale.
– Quitte la chemise!
Arezki obéit.
– Allons, continue, le pantalon, que je te fouille!
– Vous l'avez fouillé.
– Lève les bras!
En même temps, celui de gauche rapprocha d'Arezki la bouche de son arme. L'autre défit la boucle qui fermait la ceinture et le pantalon glissa. Arezki n'avait plus rien qu'un slip blanc. Ils rirent à cette vue.
– Ote-lui ça, il y en a qui planquent des choses dedans!
Tout en parlant, il appuyait l'orifice de son arme sur le ventre d'Arezki. L'autre, du bout des doigts tira sur l'élastique et le slip descendit.
– Quand tu es arrivé en France, comment étais-tu habillé? Tu avais ton turban, non? Avec des poux dessous? Tu es bien ici, tu manges, tu te paies de belles chemises, tu plais aux femmes. Tiens, le voilà ton pantalon, et bonne nuit quand-même.

b Les phrases suivantes sont un résumé de l'extrait. Malheureusement, elles ne sont pas dans le bon ordre. Pouvez-vous les mettre dans l'ordre?
1 Un policier braqua son arme sur Arezki.
2 Les deux policiers se mirent à rire.
3 Arezki et les deux policiers quittèrent la pièce.
4 Il lui demandèrent ensuite de lever les bras.
5 Un policier détacha la ceinture d'Arezki.
6 Arezki perdit son slip.
7 Puis, ils lui demandèrent d'enlever son pantalon.
8 Un des policiers insulta Arezki verbalement.
9 Le pantalon d'Arezki tomba par terre.
10 Un policier demanda à Arezki d'ôter sa chemise.

2 Jeu de rôles

Imaginez une scène avec votre partenaire où vous jouerez le rôle d'un Algérien qui a une liaison avec une Française. Vous discuterez de votre vie, de l'injustice et du racisme.

3 La rencontre 🔊

Ecoutez ce dialogue entre Elise, Mustapha (un des Algériens de l'usine) et un des responsables et répondez aux questions suivantes en anglais.

a Why can't Arezki work?
b What does Elise think he should do?
c Why is he not allowed?
d What is Arezki's problem?
e Why does Bernier not allow Arezki to go out?
f What comments does Bernier make about immigrants?
g What does Bernier advise Elise to do?

4 Critique littéraire

a **Lisez cette critique du livre parue sur l'Internet.**

J'ai beaucoup apprécié ce livre. C'est à la fois un roman d'amour et un roman documentaire. L'auteur décrit une époque qui a bouleversé la vie de milliers de gens. Elle décrit la vie d'un immigré en France avec un réalisme frappant. On apprend énormément de choses sur les rapports qui pouvaient exister entre les Français et les Algériens: les Français donnent souvent des noms péjoratifs aux Algériens. Ils les appellent «bicot», «raton» ou «noraf». Les conditions de travail et de vie de l'époque sont aussi très bien dépeintes. Tout au long du livre, le lecteur a conscience de la discrimination terrible à laquelle les inmmigrés doivent faire face. Néanmoins, ce n'est pas le seul message du livre. La position de la femme en France à cette époque est également évoquée. Ce que j'ai aussi trouvé intéressant, c'est le titre du livre: Elise ou la vraie vie. C'est une idée qui revient constamment au cours de l'histoire. Pour Elise, le personnage principal, la vraie vie, c'est être indépendante et être témoin d'un spectacle parfois menaçant d'un monde qu'elle ne connaissait pas. Même si c'est un monde dur et pleins d'obstacles, elle a le sentiment d'exister. Elise ou la vraie vie: un livre qu'il faut absolument lire.

b **Trouvez l'intrus:**

1	apprécié goûté	aimé appliqué
2	roman romance	oeuvre littéraire livre
3	documentaire qui informe	qui renseigne qui divertit
4	auteur écrivain	critique romancier
5	décrit dépeint	raconte défend
6	réalisme idéalisme	naturalisme vérisme
7	frappant surprenant	franc spectaculaire
8	rapports rapprochement	relations liens
9	avoir conscience connaître	s'apercevoir se rendre compte

c **Traduisez ces expressions en français sans regardez le texte:**

1 at the same time
2 we learn a lot
3 it is not the only message
4 what I found interesting
5 during the story
6 the main character
7 a book you must read

d **Vérifiez vos réponses à l'aide de la cassette.**

5 Et maintenant à vous!

Ecrivez la critique d'un livre que vous avez particulièrement aimé.

Chapitre 4: P comme politique

Pages	Thèmes	Grammaire	Compétences
67–69 Départ	La politique vue par les adolescents Le droit de vote Les partis politiques	Ce qui / ce que / ce dont révision	Elargir son vocabulaire politique
70–79 Progression	Les emplois jeunes Les institutions politiques Les femmes en politique Portrait de deux hommes politiques: Charles de Gaulle et François Mitterrand Corruption en politique Discours politiques Le problème corse Les groupes extrémistes	Les verbes suivis de à + l'infinitif Les verbes suivis de de + l'infinitif Passé-composé ou imparfait?: révision Le passé simple: révision Le subjonctif: révision Le style direct et le style indirect Les adjectifs suivis de à + l'infinitif Les adjectifs suivis de de + l'infinitif	Réaliser un sondage Les statistiques Faire des promesses Participer à un débat politique Rédiger une dissertation plus longue
80–83 Examen	Les élections municipales Les femmes en politique Le «manifeste pour la vie»		Examen blanc
84–85 Extra	Contraste: les deux faces de Strasbourg		

Départ

1 La politique vue par les ados

Le saviez-vous?

- En France, les femmes ont le droit de vote depuis le 21 avril 1944.
- Les jeunes peuvent voter à 18 ans depuis le 5 juillet 1974. Auparavant, il fallait avoir 21 ans pour pouvoir voter.
- La vie politique concerne très peu les jeunes. D'abord parce qu'à leurs yeux, les hommes politiques ne sont pas honnêtes (53%) et qu'ils se sentent trop jeunes (33%) ou qu'ils n'ont pas le temps (28%).
  Les jeunes sont cependant 77% à se sentir souvent ou de temps en temps citoyens français (20% rarement ou jamais), 53% citoyens européens (contre 44%), 45% citoyens du monde (contre 51%).
- 62% des jeunes seraient plutôt opposés à l'abaissement du droit de vote à 16 ans (28% favorables).

Avant d'écouter ces jeunes Français parler de politique recherchez les mots suivants dans un dictionnaire:
la citoyenneté   les pots de vin   les magouilles

a Traduisez les expressions suivantes en écoutant la cassette.
1. what is certain
2. what happens (2 expressions)
3. what I think
4. what I am convinced about
5. what young people want
6. what is important
7. what I find
8. what I never miss
9. what I am sure about
10. what I know
11. what is called

Grammaire (Rappel!)

Les pronoms relatifs: **ce qui, ce que** et **ce dont**. Voir page 17, Chapitre 1: La planète en danger.

b Réécoutez la cassette et écrivez qui ...
1. pense que les jeunes ne sont pas assez mûrs pour voter à 18 ans
2. estime que le droit de vote aide les jeunes à s'intégrer dans la vie politique plus rapidement
3. dit que les jeunes doivent pouvoir voter à partir de leur majorité
4. parle de la citoyenneté
5. regrette qu'il n'y ait pas plus de politique dans les écoles
6. parle du droit de vote dans un autre pays européen
7. parle d'un parti politique
8. critique les hommes politiques
9. parle de la cohabitation de la droite et de la gauche
10. parle de corruption
11. parle de la durée que le président passera à l'Elysée

c Remplissez les blancs avec **ce qui, ce que / ce qu'** ou **ce dont.**
1. ... j'aime particulièrement dans les débats politiques, c'est de voir les hommes politiques s'injurier en public.
2. ... elle est sûre, c'est qu'il va gagner les prochaines élections.
3. Il n'est pas sûr de ... va se passer.
4. Elle m'a dit ... elle a vu.
5. Je lui ai raconté ... j'avais été témoin.

d Ecrivez cinq phrases en français dans lesquelles vous utiliserez ce qui, ce que et ce dont.

2 Le droit de vote

En Belgique, le droit de vote est obligatoire.

a Lisez ces extraits de lettres écrites par des lecteurs belges pour dire ce qu'ils en pensent.
A

En Belgique on a le droit de s'exprimer et l'interdiction de s'abstenir. Le vote y est obligatoire, contrairement à la plupart de nos voisins. Cette situation s'oppose à la convention des droits de l'homme qui attribue à chacun le droit de s'exprimer, même par le silence et l'abstention car il s'agit aussi d'un moyen d'expression. Quel parti aura le courage de supprimer l'obligation de vote, ou tout au moins de demander l'avis de la population, par voie de référendum ou de toutes autres manières? Apparemment ce sujet ne plaît pas. Mon appel sera t-il entendu, écouté, compris, partagé?

B

Voter = s'exprimer. Ne pas voter, ou voter blanc / nul, c'est laisser le soin aux autres de décider à votre place ! Faut choisir!

C

Le vote doit rester obligatoire. Prioritairement, parce que là où le vote n'est pas obligatoire, ce sont les personnes les plus défavorisées qui ne vont plus voter. Et une fois qu'elles ne votent plus, les hommes politiques ne s'occupent plus de leurs attentes et besoins. C'est pas pour rien que certains demandent la suppression de l'obligation de vote. Enfin, si les gens utilisent le non–vote comme sanction des responsables politiques, alors ils se trompent complètement de méthode et de moyen. Voter autrement, s'investir en politique, voire créer un nouveau parti est la seule solution.

Le saviez-vous?

En France comme en Belgique, les élections sont toujours un dimanche.

b Remplissez la grille avec un mot de la même famille.

Nom	Verbe	Adjectif/participe passé
Texte A		
s'exprimer		
l'interdiction		
s'abstenir		
le vote		
s'oppose		
l'obligation		
Texte B		
décider		
Texte C		
les attentes		
le changement		
la suppression		
sanctionner		
Texte D		
les élections		
l'éducation		
le choix		

D

Je crois effectivement que le vote doit rester obligatoire. Le Belge est tellement pépère qu'il n'irait pas voter parce que les élections ont lieu le dimanche et que ce jour-là il préfèrerait dormir. Il est vrai qu'obliger les gens n'est pas correct, mais si l'éducation au départ était correcte et que tout le fonctionnement de la société l'était, alors les gens iraient voter sans obligation. On n'a pas le droit de laisser les gens fermer les yeux. De temps en temps il faut les forcer à regarder la réalité en face et faire un choix, quelque part ça les rend «responsables».

c **Ces phrases sont-elles vraies ou fausses? Relisez le texte A.**
1 En Belgique, on ne peut pas refuser de voter.
2 Dans les pays voisins de la Belgique, on peut s'abstenir de voter.
3 Il y aura bientôt un référendum.

d **Relisez le texte C. Laquelle de ces phrases s'applique au texte?**
1 Il faut que les gens votent.
2 Les plus démunis ont tendance à ne pas utiliser leur droit de vote.
3 Le non-vote est le seul moyen de faire pression sur le gouvernement.

e **Relisez bien le texte D. Travaillez à deux: Pensez-vous que le vote devrait être obligatoire?**
Voici quelques expressions utiles:
je crois effectivement que ...
le vote doit être obligatoire
Il est vrai que ...
obliger les gens à
on n'a pas le droit de ...
il faut faire un choix
être responsable

Bulletin de vote

3 Les partis politiques

Le saviez-vous?

- Il y a plusieurs grands partis politiques.
- Il existe en France une opposition droite-gauche, mais elle n'est pas très simple.
- La tradition droite-gauche date de la révolution:
  – dans l'assemblée nationale créée par la révolution, les conservateurs (monarchistes qui désiraient une monarchie constitutionnelle) étaient assis à droite dans l'hémicycle de l'Assemblée.
  – les réformateurs (les révolutionnaires les plus radicaux qui voulaient une république) étaient assis à gauche.

Ce que représente la gauche	Ce que représente la droite
le changement social	le statut quo
la laïcité	l'Eglise
la réduction des inégalités sociales	la hiérarchie sociale
la décentralisation	la centralisation
les droits des femmes	la famille
les droits des minorités	les traditions

b Répondez aux questions suivantes en français.

1 Quel est le parti qui est représenté partout dans le monde?
2 Quel est le parti dont les idées se rapprochent de celles du Général de Gaulle?
3 Quel est l'homme politique qui y appartient?
4 Le président Giscard d'Estaing appartenait à quel parti?
5 Quel est le parti qui ne cesse de perdre de sa popularité?
6 Quel est le parti qui s'inquiète du nombre croissant d'étrangers en France?
7 Que veut dire la lettre D de l'UDF?
8 Quel est le parti qui a obtenu que les Français ne travaillent que 35 heures par semaine?

4 Travail de recherche sur l'Internet.

a Renseignez-vous sur les différents partis politiques de votre pays à l'aide de l'Internet et écrivez un paragraphe sur chacun d'eux.

b Choisissez un de ces partis et préparez-vous à en parler devant votre classe (2 minutes environ).

a Lisez ces extraits de page web.

Les principaux partis de droite

L'UDF (Union pour la Démocratie Française)
C'est un parti de centre-droite et le parti de l'ancien président Valéry Giscard d'Estaing. Ce parti est une union de familles politiques, autrefois séparées, et qui ont choisi de se rassembler autour d'un projet commun, la démocratie. Démocratie: le mot signifie confier le pouvoir au peuple.

Le RPR (Rassemblement pour la République)
C'est l'héritier du groupe gaulliste. Ce parti est un parti centralisateur, nationaliste et laïque. Dans les affaires économiques, il favorise l'intervention de l'Etat. Jacques Chirac est membre de ce parti. La nation, la famille, la liberté, l'autorité de l'Etat, le travail, la responsabilité, l'égalité des chances et la solidarité: autant de thèmes qui sont chers aux membres du RPR.

Le FN (Front National) ou parti de l'extrême-droite
Il existe depuis 1972. D'après leurs supporters, aujourd'hui l'identité de la France est menacée. Face aux projets cosmopolites de mélange des peuples et des cultures, le Front National prétend vouloir garder l'identité nationale. Loin de tout racisme ou de toute xénophobie, ils disent se battre pour défendre les Français pour que la priorité leur soit donnée par rapport aux étrangers et pour que leurs droits fondamentaux soient respectés.

Les principaux partis de gauche

Le PS (Parti Socialiste)
Ce parti refuse et s'oppose à l'idéologie communiste. Il favorise l'intervention de l'Etat dans certains secteurs de la vie sociale et économique. Il fait appel aux gens de toutes les classes et l'ancien président François Mitterrand était membre de ce parti. C'est lui qui a mené la bataille par exemple pour les 35 heures de travail par semaine.

Le PCF (Parti Communiste Français)
Ce parti était très populaire après la guerre de 1940 (à cause de la participation des communistes dans la résistance.) Il favorise la nationalisation des entreprises et une économie controlée par l'Etat. Il fait appel aux ouvriers et est en déclin depuis 1981.

Un parti indépendant

Les Verts
Pour promouvoir une autre façon de faire de la politique, les Verts ont constitué une force écologiste indépendante des partis traditionnels; une organisation ouverte aux dialogues et aux luttes communes avec les courants qui animent aujourd'hui la société civile. Parti d'Allemagne et de France, le mouvement vert est désormais présent presque partout dans le monde. Aujourd'hui, les écologistes ont une représentation parlementaire en France, en Suisse, en Belgique ...

Progression

1 Les emplois-jeunes à l'école

Le saviez-vous?

Le gouvernement français a créé des emplois-jeunes et dans un premier temps 40 000 jeunes ont été recrutés par l'Education nationale.

a Lisez le texte ci-dessous:

Le ministère de l'Education nationale, de la recherche et de la technologie s'est fortement investi dans le programme «nouveaux services – nouveaux emplois» initié par le ministère de l'Emploi et de la Solidarité. Il ne s'agit pas d'une mesure de traitement social du chômage, mais d'un projet qui vise à faciliter le développement de nouveaux services et qui mise sur les jeunes pour y parvenir.

L'Education nationale a répondu rapidement en créant successivement 40 000 emplois en octobre 1997, puis 20 000 en 1998, et enfin 5 000 en janvier 1999.

Aujourd'hui plus de 60 000 jeunes ont été recrutés et ont été affectés pour deux-tiers d'entre eux dans des établissements du premier degré.

Il y en a actuellement dans plus de 15 000 écoles élémentaires. Le recrutement progresse sensiblement dans l'enseignement secondaire: 6 500 collèges et lycées bénéficient de l'accompagnement de près de 20 000 aides-éducateurs.

La présence des aides-éducateurs a permis la mise en place de nouvelles activités pédagogiques et le renforcement de l'action des enseignants.

Dans les collèges et les lycées, l'arrivée de ces jeunes a permis de mieux suivre les élèves et d'approcher les problèmes de violence de façon différente.

Les jeunes qui souhaitent s'engager dans ce dispositif sont recrutés pour une durée déterminée maximum de cinq ans. Ils doivent être âgés de 18 à 26 ans et titulaires du baccalauréat. Ils bénéficient d'une formation professionnelle pendant la durée de leur contrat.

b Trouvez dans le texte le français pour:
1 which aims
2 to succeed
3 who wish to become involved
4 training

c Mettez les idées suivantes dans l'ordre du texte:
1 Il faut qu'ils aient entre 18 et 26 ans et qu'ils aient réussi au bac.
2 La plupart de ces jeunes travaillent dans des établissements du premier degré.
3 Le ministère de l'Education nationale a créé de nombreux emplois pour les jeunes.
4 Les aides-éducateurs sont là pour aider les profs.
5 Les jeunes ne peuvent pas travailler pendant plus de cinq ans.
6 Les lycées et les collèges emploient de plus en plus de jeunes.

2 Les emplois jeunes à l'école

Je m'appelle Christelle Bousseau. Je travaille au lycée Pierre-Gilles de Gennes à Digne. Mon travail consiste à m'occuper du CDI le mercredi et le vendredi après-midi et de m'assurer que la projection du film le mercredi après-midi se passe bien. D'autre part, j'aide les élèves à faire leurs devoirs et s'ils ont des problèmes d'ordinateur. Il m'arrive aussi de faire d'autres choses suivant les besoins. J'ai participé à la préparation d'une affiche pour annoncer aux élèves qu'une classe du lycée avait remporté le concours d'affiche sur le thème «des dangers de l'alcool au volant pour les jeunes» et c'est moi qui me suis occupée d'organiser la sortie «repas Mc Donald et séance de cinéma» pour la classe gagnante du concours d'affiche.

Je m'appelle Lionel Ribail. Je travaille dans le même établissement que Christelle. Moi, je suis responsable du labo de langues et je suis attaché aux nouvelles technologies. Il m'arrive aussi d'encadrer les sorties sportives. Et puis, il y a aussi le soutien scolaire aux élèves et les études surveillées.

3 Travail à deux

Vous êtes journaliste et vous allez interviewer Christelle et Lionel sur leur travail. Ecrivez les questions que vous allez pouvoir leur poser. Réalisez l'interview avec un partenaire et enregistrez-vous.

4 Jean Claude

a Ecoutez Jean-Claude qui travaille à la RATP. Il reconnaît que le travail qu'il fait est dévalorisant et avoue même avoir un job d'appoint (au noir) le week-end. Il travaille dans une pizzeria de la banlieue parisienne.

b Voici un résumé de ce que vous avez entendu. Remplissez les blancs.

> Jean-Claude doit ... (1) ... ses fins de mois et il gagne environ 7 500 francs par mois. Il sait que son diplôme supérieur ne lui servira pas ... (2) ... du travail et qu'aucun employeur ne décidera ... (3) ... après son passage à la RATP. Son boulot consiste ... (4) ... un dialogue entre la RATP et ses clients. Les employés ont du mal ... (5) ... ces emplois-jeunes qui sont en général trop qualifiés. Les emplois jeunes passent la plupart de leur temps ... (6) ... les stations de métro et ... (7) ... les portes du RER. Ils aident aussi les handicapés ... (8) ... plus facilement. Mais l'activité principale de Jean Claude se résume ... (9) ... les voyageurs sur les lignes de métro à prendre et les correspondances à trouver. Mais c'est un travail superflu car les Français préfèrent ... (10) ... en regardant les plans. Jean Claude finit ... (11) ... dix-sept heures trente. Il pense ... (12) ... 5 ans à ce poste et il ne s'attend pas ... (13) ... de l'expérience. D'après lui, il apprend ... (14) ... et l'Etat réussit ... (15) ... des jeunes dépendants et les empêche ... (16) ... indépendants.

Grammaire (Rappel!)

The infinitive

Some verbs are followed by an infinitive. Here are the most common:

aimer	pouvoir
détester	savoir
espérer	vouloir
penser	devoir

Example: il pense trouver du travail

Some verbs are followed by **à** and the infinitive. Here are the most common:

aider à	continuer à
apprendre à	réussir à
commencer à	

Example: il l'a aidé à touver un emploi

Some verbs are followed by **de** and the infinitive. Here are the most common:

arrêter de	essayer de
avoir besoin de	éviter de
avoir peur de	finir de
choisir de	oublier de
décider de	venir de

Example: elle a décidé de chercher un emploi

For more details see p.135, grammar section.

Exercice 1

Remplissez les blancs à l'aide de à, de ou n'ajoutez rien.

1 Il doit ... faire des heures supplémentaires.
2 Les diplômes ne servent pas toujours ... trouver du travail.
3 Elle ne peut pas ... décider ... s'arrêter.
4 Mon boulot consiste ... m'occuper de la clientèle.
5 Il a eu du mal ... s'adapter.
6 Ils passent leur temps ... balayer les escaliers et ... vider les poubelles.
7 Elles les a aidés ... s'installer.
8 Il a accepté ... changer de secteurs.
9 Les Français préfèrent ... se débrouiller tous seuls.
10 Jean Claude cesse ... travailler à dix-sept heures trente.
11 Il compte ... travailler là pendant cinq ans.
12 Il a appris ... être plus indépendant.

Exercice 2

Traduisez ces phrases en Français.

1 He wants to look for a job.
2 She is helping him to find a job.
3 She is hoping to go to university.
4 They forgot to tell them.
5 I started to worry.
6 They chose to leave the country to be able to get a job.
7 She is afraid of losing her job.

5 Les institutions politiques

Depuis 1870, la France est une République: le pouvoir politique provient de l'élection (à la différence de la monarchie où il se transmet de manière héréditaire).

I Le pouvoir exécutif est partagé entre **le président de la République** et **le gouvernement**.

Le président
Depuis 1962, il est élu au suffrage universel direct. Le mandat présidentielle dure cinq ans.
Le chef de l'Etat dispose de nombreux pouvoirs:
- Il nomme le Premier ministre.
- Il peut consulter le pays par référendum.
- Il peut dissoudre l'Assemblée nationale (et non le Sénat) et exercer des pouvoirs exceptionnels en cas de crise grave.
- Il négocie les traités. Il est le chef des armées.
- Il veille au respect de la Constitution et prend l'initiative de la réviser.

Le gouvernement
- Il est nommé par le président de la République qui est le chef du gouvernement.
- Les ministres sont nommés par le président de la République sur la proposition du Premier ministre.
- Le gouvernement détermine et conduit la politique de la nation. Chaque ministre est chargé d'un domaine particulier et de diriger une administration (justice, éducation, affaires étrangères, économie, ...).
- Le gouvernement fixe le montant des dépenses et des recettes de l'Etat inscrites dans le projet de budget soumis au vote du Parlement.
- Le gouvernement est responsable devant l'Assemblée nationale (et non devant le Sénat) qui peut le contraindre à démissionner par un vote de plus de la moitié des députés.

2 Le pouvoir législatif appartient au Parlement, composé de **l'Assemblée nationale**, élue par tous les Français, et du **Sénat**, élu par des «grands électeurs» (députés, elus locaux, etc.). Les 577 députés sont élus pour cinq ans. Les 321 sénateurs sont élus pour une durée de 9 ans. Le Sénat est renouvelé par tiers, tous les trois ans.

b Ces phrases sont-elles vraies ou fausses? Corrigez les phrases fausses.
1. La France est une république depuis 1962.
2. Le président est élu pour 5 ans.
3. Le Premier ministre est nommé par le président.
4. Seul le président peut grâcier les condamnés à mort.
5. Le Premier ministre est le chef des armées.
6. Le Sénat peut forcer le gouvernement à démissioner.
7. L'Assemblée nationale est élue par ce que l'on appelle «les grands électeurs».
8. Les députés sont élus pour 9 ans.

c Et chez vous? Votre correspondant(e) français(e) a une dissertation à faire en histoire et il / elle vous a écrit une lettre dans laquelle il / elle vous demande des renseignements sur le système électoral de votre pays. Faites des recherches sur l'Internet et répondez-lui.

6 Sondage

a Lisez ce sondage réalisé par l'IFOP et l'Express.
1. En pensant à l'avenir, pour vous et vos enfants, diriez-vous que vous êtes ...

	1999	Rappel décembre 1997
Optimiste?	42 %	56 %
Pessimiste?	47 %	52 %
NSP	2 %	1 %

2. Avec laquelle des trois phrases suivantes êtes-vous le plus d'accord? Le Premier ministre conduit sa politique ...

	Ensemble
... en pensant à la prochaine élection présidentielle	38 %
... en ayant un projet d'avenir pour la France	26 %
... en gérant les affaires de la France au quotidien	32 %
NSP	4 %

3. A propos de la situation économique de la France, diriez-vous ...

	1999	Rappel décembre 1997
... que la situation est dans une impasse?	10 %	13 %
... que la situation est difficile?	47 %	51 %
... qu'il y a des marges de manoeuvre?	19 %	22
... que la situation n'est pas si mauvaise que cela?	23%	14%
NSP	1%	-

4 Parmi les actions suivantes, lesquelles vous semblent prioritaires?

	Ensemble
Le développement des emplois-jeunes dans les secteurs public et privé	39 %
La mise en place des 35 heures	23 %
La réforme du système des retraites	23 %
L'accompagnement du passage à la monnaie unique	14 %
La réforme de la justice	13 %
L'instauration de la parité homme / femme en politique	5 %
Aucune	1 %
NSP	1 %

b Interrogez les autres membres de votre classe et les professeurs de français de votre établissement et reproduisez vos résultats de façon semblable à l'ordinateur. Faites ensuite une comparaison entre les résultats de l'IFOP et les vôtres par écrit.

7 Les Françaises à la conquête de la politique

En France, les femmes n'ont obtenu le droit de vote et d'être candidates aux élections qu'en 1945. Si plus de cinquante ans après, on tente de faire le bilan de cet exercice de la citoyenneté, on doit admettre qu'il est fortement contrasté: positif pour ce qui concerne le vote, plutôt négatif pour ce qui touche à l'éligibilité.

a Ecoutez Janine Mossuz-Lavau qui vous parle des femmes en politique et remplissez les blancs.

Les Françaises exercent aujourd'hui pleinement leurs droits. Dans un premier temps, celui de l'apprentissage, qui ... (1) ... jusqu'à la fin des années 60: elles ... (2) ... plus que les hommes et ... (3) ... moins volontiers que les candidats de gauche. Dans les années 70, on ... (4) ... les Françaises participer aux scrutins autant que leurs homologues masculins et on a vu également l'écart sur le vote de gauche diminuer sensiblement. Les années 80 ont été celles de l'autonomie. En 1986, pour la première fois, elles ... (5) ... à gauche autant que les hommes. Par ailleurs, elles cèdent beaucoup moins que les hommes aux sirènes des partis d'extrême droite. Par exemple, lors des élections législatives de 1997, 12 % d'entre elles seulement ... (6) ... en faveur des candidats du Front national contre 18 % des hommes. Cette évolution est très largement liée aux transformations survenues dans leur statut social. Elles sont depuis 1971 plus nombreuses que les hommes à l'université. Or on sait que l'élévation du niveau d'études s'accompagne d'une montée de l'intérêt pour la politique. Elles qui ne ... (7) ... en 1954 que 35 % de la population active en représentent aujourd'hui 45 %. Or il est prouvé que l'exercice d'une activité professionnelle favorise également l'intérêt pour la politique ainsi que les choix de gauche. A l'Assemblée nationale, encore en 1993, les femmes n' ... (8) ... que 6 %. La France est l'avant-dernier pays de l'Union européenne pour ce qui concerne la place des femmes dans les parlements.

Grammaire (Rappel!)

Perfect or imperfect?
- Action completed in the past or completed at a specific time: perfect
- Description in the past: imperfect
- Action used to be done: imperfect

a **Lisez les deux textes:**

Charles De Gaulle naquit à Lille le 22 novembre1890. Après des études à Saint-Cyr, il s'illustra pendant la guerre de 1914-1918. En 1937, il fut affecté en Alsace, à la tête d'une division de blindés avec laquelle il remporta des succès militaires en 1940. Quand l'armistice fut signé De Gaulle partit à Londres d'où il lança le fameux appel du 18 juin. Avec les Français exilés à Londres il rallia l'Afrique tropicale. Il devint au moment du débarquement chef du gouvernement provisoire de la République française et son retour à Paris fut un triomphe le 25 août 1944. Il créa en avril 1947 le Rassemblement du Peuple Français et remporta de grands succès électoraux aux municipales de 1947 et aux législatives de 1951. Il se retira alors à Colombey-les-Deux-Eglises où il écrit notamment ses Mémoires de guerre.

En septembre 1958 un projet de constitution fut présenté par référendum et fut adopté avec 80% de oui. Il fut élu Président de la République et fut le premier président de la Vème République.

Avec Michel Debré pour Premier ministre il s'occupa en premier lieu du règlement de la guerre d'Algérie et de la reconnaissance de l'indépendance de ce pays. Il chercha à redresser l'économie et son action fut constamment guidée par le souci de rendre à la France son rang de grande puissance internationale.

Il chercha à moderniser le pays en profitant de l'expansion économique. Au niveau de la politique étrangère, De Gaulle contribua à un rapprochement avec la Chine et l'URSS, empêcha l'adhésion de la Grande-Bretagne à la CEE, conclut des accords de coopération avec l'Allemagne.

Le 27 avril 1969, il proposa un référendum sur la régionalisation de la France qui fut repoussé par 53,2% des suffrages.

Il démissionna alors et se retira de la vie politique à Colombey-les-Deux-Eglises.

b **Trouvez les contraires de:**
  1 échecs
  2 vint
  3 départ
  4 défavorable
  5 victoire
  6 réunit

c **Lequel de ces deux hommes politiques ...**
   1 ... est né au XIX siècle?
   2 ... a combattu pendant la guerre de 14-18?
   3 ... a combattu pendant la guerre de 39-45?
   4 ... a fait parti de la Résistance?
   5 ... était à Londres en juin 1940?
   6 ... a été sénateur?
   7 ... était socialiste?
   8 ... a été le premier président de la Vème République?
   9 ... était président quand la peine de mort a été abolie?
  10 ... a dû cohabiter avec un Premier ministre du parti opposé?
  11 ... a été obligé de démissionner?

Grammaire (Rappel!)

The past historic

The past historic is used instead of the perfect tense in novels, history books and newspaper articles. It is only used for written French. In speech, use the perfect tense. For formation and irregular verbs, see p.142 grammar section.

Exercice 1

Lisez les deux textes et faites une liste des verbes au passé simple. Mettez-les ensuite à l'infinitif et au passé composé.

Exemple: De Gaulle naquit   (infinitive) *naître*
             (passé composé) *De Gaulle est né*

François Mitterrand naquit le 26 octobre 1916 à Jarnac (Charente). Il fit des études de droit et de sciences politiques. Blessé en 1940, prisonnier, il s'évada en décembre 1941. Il s'engagea dans la Résistance lors de l'entrée des Allemands dans la zone libre.

En 1945 il adhèra à l'Union Démocratique et Socialiste de la Résistance, groupement organisé par différentes organisations de la Résistance.

Il fut élu député de la Nièvre en 1946. En janvier 1947 il fut nommé ministre des anciens combattants.

Nommé ministre de l'Intérieur il chercha à faire évoluer le statut des Musulmans. Mais lors des débuts de l'insurrection algérienne il se déclara favorable à l'Algérie française.

Le retour de De Gaulle en 1958 marqua la défaite aux législatives. Mitterrand entra au sénat en 1959 et devint maire de Château-Chinon.

Mitterrand se présenta en 1981 contre Giscard et se fit élire avec 52,22% des suffrages exprimés. Pierre Mauroy fut nommé Premier ministre et les élections législatives qui suivirent le 14 et 21 juin 1981 permirent aux socialistes de s'assurer la majorité absolue. Quatre communistes firent leur entrée dans le gouvernement de Mauroy.

D'importantes réformes furent appliquées comme l'abolition de la peine de mort, le programme de nationalisation, la création de l'impôt sur les grandes fortunes, la loi de décentralisation, la retraite à 60 ans ...

La défaite aux législatives de 1986 avec la nomination de Chirac au poste de Premier ministre inaugura une première période de cohabitation. La politique économique très libérale de Chirac contribua à redorer l'image de Mitterrand et divisa la droite.

Le 8 mai 1988 Mitterrand fut réélu face à Chirac au second tour. La dissolution de l'Assemblée nationale permit au PS de gagner une majorité relative aux élections législatives.Les deux dernières années du second mandat de Mitterrand furent marquées par des scandales financiers et par des révélations sur son passé de Vichy. Il mourut d'un cancer en 1996.

9 Corruption

Les hommes politiques sont souvent impliqués dans des scandales financiers ou autres.

a Ecoutez ce bulletin d'information, puis complétez chaque blanc du résumé en utilisant une des expressions prises dans la liste suivante, selon le sens du texte. Attention! Il y a plus d'expressions que de blancs.

serré   cherché   contraint   socialiste   dont

parce que   incarcéré   un quart   RPR   ce qu'

obligé   essayé   ce qui   duquel   lors de

L'ex-ministre RPR Michel Roussin a été ... (1) ... à Paris ... (2) ... est un fait très rare. En effet, cela ne s'était produit que trois fois auparavant. Alain Carignon avait été accusé de corruption et avait été ... (3) ... de démissionner du gouvernement. Il avait été ensuite placé en détention provisoire du 12 octobre 1994 au 3 mai 1995. Le ... (4) ... Bernard Tapie avait été condamné le 28 novembre 1995 à deux ans de prison ... (5) ... huit mois fermes pour corruption dans l'affaire du match de football truqué VA-OM en 1993. Il avait été incarcéré durant 165 jours après le rejet de son pourvoi en cassation.

Maurice Papon, ancien ministre gaulliste de 1978 à 1981 avait été condamné à dix ans de réclusion criminelle pour «complicité de crimes contre l'humanité» le 2 avril 1998 par la Cour d'assises de Bordeaux car il avait joué un rôle dans la déportation de Juifs ... (6) ... l'occupation nazie. Il avait bien ... (7) ... de s'enfuir en Suisse mais il avait été arrêté et jugé. Il purge sa peine à la prison de la Santé.

b Ces phrases sont-elles vraies ou fausses? Corrigez celles qui sont fausses.

1 Michel Roussin était membre du parti communiste.
2 Il n'est pas rare qu'un ministre soit incarcéré.
3 Alain Carignon avait été accusé de corruption.
4 Bernard Tapie avait été mis en détention provisoire.
5 Maurice Paupon n'était pas responsable de la déportation des juifs.
6 Maurice Papon est toujours en prison.

10 Discours, discours ...

a **Lisez ces extraits de discours et en vous aidant des pages précédentes décidez à quel parti appartiennent les deux hommes politiques qui les ont prononcés.**

«Mesdames, Messieurs, Mes chers compatriotes Merci, Merci, Mille fois merci!

Tout d'abord merci d'être venus si nombreux. Notre parti est bel et bel vivant, et nos adversaires se rendent enfin compte que nous sommes plus que jamais déterminés à continuer le combat que nous menons depuis maintenant plus de 20 ans.

Nous sommes L'ACTION! L'action, parce que la France a de plus en plus de problèmes, des problèmes graves. Nous refusons de nous laisser endormir par les promesses de JOSPIN et de CHIRAC.

Le taux de chômage n'a pas vraiment réduit. Ce n'est qu'une illusion. Les autorités citent des statistiques qui sont faites pour nous rassurer, mais, en fait, on sait que les fameux emplois-jeunes sont responsables de cette amélioration. Les derniers chiffres semblent qu'il y ait eu une légère baisse du chômage depuis un an (18 000 chômeurs pour être précis). En effet, les demandeurs d'emplois sont passés de 3.916.000 à 3.898.000. Les causes profondes et réelles du chômage doivent être clarifiées. L'immigration et le fiscalisme en sont les causes principales. Tant que le gouvernement refusera de l'admettre, il n'y aura aucune chance de résoudre le problème.

Nous voulons que la France reste française. Nous sommes totalement dévoués à la cause de la France et de son peuple. Il est malheureusement de plus en plus évident que les étrangers sont en train d'envahir la France et que les Chrétiens sont de moins en moins présents .

Nous défendons l'identité de la France, son histoire, sa langue, sa civilisation chrétienne et son avenir.

Nous déclarons être l'ennemi résolu de la politique de décadence, de corruption et de faiblesse [...] »

b **Trouvez les synonymes des expressions suivantes dans les deux discours:**
1 décidé à
2 poursuivre la lutte
3 engagements
4 supprimer les difficultés
5 déjouer
6 ils ont promis

«Madame, Mademoiselle, Monsieur,

La conférence de La Haye doit réussir. Il s'agit d'un impératif si nous voulons mettre en échec les catastrophes annoncées par les climatologues et les scientifiques. Il en va de la préservation des équilibres écologiques, sociaux et humains de la planète pour les générations futures.

La responsabilité des chefs d'Etats du monde entier est totale. A Rio, puis à Kyoto, ils ont pris des engagements. Il faut maintenant les tenir en engageant des politiques nationales et régionales déterminées en faveur des économies d'énergies, des transports par voie ferrée ... etc. Les propositions américaines ne visent qu'à permettre aux Etats d'échapper à leurs obligations et à maintenir les inégalités planétaires.

La France, qui préside l'Union européenne, porte une responsabilité particulière. Elle se doit de donner l'exemple. Le plan national d'économies d'énergie, qui sera présenté sous peu, arrive bien tard. La lutte contre l'effet de serre ne réussira que si les actes sont mis en concordance avec les discours.»

c **Lequel de ces deux hommes politiques veut que?**
1 Le gouvernement s'attaque aux vrais problèmes du chômage.
2 Le nombre des étrangers qui habitent en France diminue.
3 Les chefs de gouvernement tiennent leurs promesses.
4 Il y ait moins de corruption.
5 La France soit le premier pays à donner l'exemple.

d **Lequel de ces deux hommes politiques a peur que?**
1 Les problèmes du chômage ne s'accroissent.
2 L'immigration n'empêche de résoudre le problème du chômage.
3 Les Américains ne pensent qu'à conserver les inégalités de la planète.

Grammaire (Rappel!)

The subjunctive

The subjunctive is used
* with certain expressions of necessity: il faut que ...
* with expressions of fear: avoir peur que ...
* when you want or wish for someone else to do something: vouloir que ...
* after certain conjunctions: bien que ...
* with penser and croire in questions or negative sentences

---

11 Bonjour, la Réunion

a Ecoutez ce qu'a dit le Président Jacques Chirac dans un discours à la mairie de Saint-Denis de la Réunion.

b Liez les mots de gauche à leur définition de droite:

1 cumulent   **a** état de ce qui est abîmé par le temps
2 entreprises   **b** ont à la fois
3 urbain   **c** moyen de réussir
4 bidonvilles   **d** commencées
5 vétusté   **e** qui est de la ville
6 atout   **f** baraques où vit la population la plus misérable

c Répondez aux questions à choix multiples:

1 Dans son discours, le Président Chirac a déclaré que certains quartiers de Saint-Denis
   a avaient disparu   **c** avaient été reconstruits
   b avaient des problèmes

2 Il a dit que
   a la municipalité s'était attaqué aux besoins urgents
   b la municipalité ne voulait plus dépenser de telles sommes d'argent
   c la municipalité avait démoli certains logements

3 Il a annoncé que
   a l'Etat avait investi 55 millions de francs dans le réseau de bus en site propre
   b l'Etat avait investi 45 millions de francs dans le réseau de bus en site propre
   c l'Etat ne voulait pas investir d'argent dans le réseau de bus en site propre

4 Il a expliqué que
   a certains logements étaient situés dans des zones à risques
   b certains logements étaient dans des quartiers rénovés
   c certains logements étaient vieux

5 Il estime qu'en métropole le taux de chômage
   a a baissé   **c** est resté stable
   b s'est aggravé

Grammaire

Direct and indirect speech

Direct speech: in direct speech, the words or thoughts are reported directly by the speaker:

Example: Il a dit: «Saint-Denis connaît des difficultés.«

Indirect or reported speech: in indirect speech, the words or thoughts are reported indirectly by the speaker and are expressed after verbs such as **dire, expliquer, annoncer, raconter** + a clause introduced by **que / qu'**.

Example: Il dit que Saint-Denis connaissait des difficultés.

The tenses used after **que** are the same as they would be in English. Therefore, when you want to say what somebody has said or asked, you have to change direct speech into indirect speech.

Direct speech	Reported speech
Present tense	Imperfect
Future tense	Conditional

Example: Je ferai de mon mieux.
Le Président a dit qu'il ferait de son mieux.

Perfect tense	Pluperfect tense

Example: Le Président est parti à la Réunion
Il m'a dit que le Président était parti à La Réunion

Exercice 1

Jean-Claude Robert vient d'être élu aux élections municipales. Complétez l'extrait de la lettre qu'il a écrite à un ami.

A la dernière réunion politique, un homme m'a demandé pourquoi je (1 vouloir) être élu. J'ai dit que c'(2 être) parce que la politique me (3 passionner) et que j' (4 vouloir) toujours en faire. Ensuite, une femme m'a demandé si j'(5 avoir) l'intention de chercher à résoudre le problème des sans-abris. Je lui ai répondu que ce problème me (6 tenir) à coeur et que si j'étais élu nous (7 discuter) de ce problème en priorité. La réunion s'est terminée vers 10 heures et demie et j'ai annoncé que la prochaine réunion (8 avoir) lieu le samedi suivant.

12 Débats

Vous organisez un débat à la télévision entre Jean-Marie Le Pen (Front national), Denis Baupin (Parti écologiste) et Jacques Chirac (RPR). Trois d'entre vous joueront ces rôles. Le reste de la classe représentera le public et posera des questions.

13 L'Ile de Beauté

L'Ile de Beauté est aussi le nom que l'on donne à la Corse. Cependant, le calme de la Corse, région visitée par de nombreux touristes, est périodiquement remis en question à cause de la violence. En effet, certaines organisations clandestines veulent l'indépendance de la Corse et sèment la terreur. Pyramide a demandé à des jeunes Corses ce que représentait pour eux l'Ile de Beauté et ce qu'ils pensaient des groupes extrémistes.

a Lisez leurs points de vue:

Moi, corse et fière de l'être, je revendique mon identité sans pour autant pratiquer la violence.

J'ai besoin, par contre, de savoir que la république fait respecter l'ordre là où je vis, mais aussi qu'elle y exerce ses devoirs. Il y en a assez de culpabiliser les Corses !

La situation de crise que nous vivons aujourd'hui n'est que le fruit d'une longue et terrible descente aux enfers, d'un abandon programmé, d'un mépris consommé.

Il faut toujours se justifier et cela me révolte!

Mais qui veut que la Corse périsse? A qui profite le crime? A la république? Aux Corses eux-mêmes ??

Pascale

Un pays des merveilles, un pays où les contes ne sont pas fiction mais culture. Un pays ou les paysages ne volent qu'aux êtres qui y vivent cette beauté austère et triomphante.

Un pays que j'essaie de connaître et qui m'étonnera toujours, un pays de mer, de rivières et de pics enneigés. Un pays qui ne se découvre que sur place, avec les cinq sens, en hiver, en été.

Un pays où les gens sont beaux, généreux et désespérés. Il est difficile de comprendre ce qui se passe mais il faut continuer à vivre. Cette vie que j'ai choisie de vivre ici, je ne la regrette pas; notre culture est difficile à oublier et nos gens sont difficiles à déprécier.

En tous cas, rien n'est moins sûr. Je, nous, ils se battront pour défendre l'honneur. L'honneur d'être corse et de vivre en Corse. Il n'est pas venu le temps, je vous le dis où les Corses baisseront les bras devant l'adversité.

De nombreux Corses dont le plus célèbre est, bien sûr, Napoléon se sont illustrés; aujourd'hui encore les Corses sauront prouver leurs inépuisables ressources pour une Corse forte, moderne et performante.

Pierre-Yves

b Ces phrases sont-elles vraies ou fausses? Corrigez celles qui sont fausses.
1 Pascale est contente d'être corse.
2 Elle ne pense pas que la violence soit une solution.
3 Elle ne pense pas que l'Etat ait un rôle à jouer dans ce qui se passe en Corse.
4 Pierre-Yves regrette de vivre en Corse.
5 Il pense que les Corses vont continuer à lutter.
6 Napoléon était corse.

Grammaire (Rappel!)

Adjectives followed by **à** or **de** and **the infinitive**.
Some adjectives are followed by **à** and the infinitive. Here are the most common:

difficile	facile	impossible	prêt

Example: C'est impossible à comprendre.

Some adjectives are followed by de and the infinitive. Here are the most common:

capable	certain	content	heureux	sûr.

Example: Il est content d'avoir trouvé un emploi.

For more details see p.136, grammar section.

Exercice 1
Remplissez les blancs à l'aide de à, de ou d'.
1 Les Français sont difficiles ... convaincre.
2 A les entendre, les hommes politiques sont toujours capables ... résorber le chômage.
3 Avec les emplois-jeunes, le gouvernement est certain ... améliorer les statistiques.
4 Les Corses sont fiers ... leur île.
5 Les indépendantistes sont prêts ... tout.
6 Les raisons qu'il avance ne sont pas faciles ... comprendre.
7 Il est ravi ... être allé en Corse.
8 La Corse est la seule île ... m'avoir séduite.

Exercice 2
Traduisez ces phrases en Français:
1 The extremists are capable of the worst.
2 The Corsican problem is a problem which is difficult to understand.
3 They are impossible to handle.
4 They are delighted to have won.
5 I was sure I was right.

14 Le «malaise» corse

Il n'est jamais aisé de décrire l'histoire immédiate. A plus forte raison en Corse, où elle est particulièrement troublée et confuse.

a Lisez l'article suivant paru dans un guide touristique.

Né dans les années 60, l'autonomisme – puis le nationalisme – corse prend toute sa force quinze ans plus tard, à Aléria. L'origine des «évènements d'Aléria» remonte à la fin de la guerre d'Algérie (1962). A cette époque, de nombreux rapatriés de l'ancienne colonie française se sont installés à l'est de la Corse. Profitant d'aides financières gouvernementales pour mettre en valeur ces terres, ils commencent à y pratiquer la viticulture. La découverte par les militants d'un mouvement autonomiste d'un scandale lié à la pratique frauduleuse de la vinification conduira à des actes de violence: les viticulteurs «pieds-noirs» sont accusés de s'enrichir sur le sol corse avec l'accord du gouvernement: la cave de l'un d'entre eux est occupée et l'assaut de la Police se termine par deux morts. Le Front national de libération de la Corse (FLNC) est créé en 1976. Le nationalisme corse, dès lors, commence à utiliser les armes. Les plasticages et les démonstrations de force d'individus cagoulés et armés restent l'image première du nationalisme donnée par les médias.

De nombreux Corses estiment que le gouvernement n'a pas su créer sur l'île les conditions d'un développement économique et est dans une certaine mesure responsable de la situation actuelle. D'autres disent que la Corse ne présente que des maux malheureusement visibles dans d'autres régions françaises: une crise économique; quelques hommes politiques trop influents; un peu de corruption; quelques extrêmistes, une richesse mal partagée; de l'argent public mal employé ...
Mais il serait faux de considérer que la société corse actuelle est divisée entre «partisans de l'Etat français» et «partisans du nationalisme». La majeure partie de la population insulaire se situe en effet entre les deux approches. Bien que globalement insatisfaite par la situation de l'île, elle n'accrédite pas les actions violentes des groupes nationalistes sans pour autant renier l'existence du «malaise corse».

Glossaire

les pieds-noirs or rapatriés   French citizens born in Algeria

b Reliez les mots de la colonne de gauche à leur définition de droite.

1	le nationalisme	**a**	ce qui cause le malheur
2	un évènement	**b**	une attaque brutale
3	frauduleuse	**c**	entachée de tromperie
4	l'assaut	**d**	mouvement politique qui revendique le droit de former une nation
5	les cagoulés	**e**	les terroristes qui portent une cagoule
6	les maux	**f**	ce qui arrive, ce qui se passe

c Répondez aux questions suivantes en anglais:
1 When did the nationalist mouvement start in Corsica?
2 Why did the government give financial help to the «pieds-noirs»?
3 What happened in Aléria?
4 What does FLNC stand for?
5 What is the image given of the nationalist movement by the media?
6 How do Corsicans feel about the present situation?
7 How do they feel about violence?

15 Les nationalistes

a Ecoutez ce bulletin d'information concernant l'assassinat d'un ancien nationaliste corse Jean-Michel Rossi.

b Remplissez la grille suivante avec les détails nécessaires:

1 le jour et l'heure du meurtre de Dominique Giuntini	
2 l'âge de la victime	
3 la profession de la victime	
4 lieu de l'assassinat de Jean-Michel Rossi	
5 raison de l'assassinat de Jean-Michel Rossi	
6 accusation portée par François Santoni	
7 contenu du livre publié par Rossi et Santoni	

16 Dissertation

Ecrivez une dissertation (250 mots environ) sur le thème suivant:
La fin justifie-t-elle les moyens?

Examen

1 Privé du droit de vote

a   Lisez la lettre suivante parue dans l'Echo Calédonien:

Chers lecteurs

Je suis privé du droit de vote et je suis étranger chez moi! Je suis né à Nouméa il y a 33 ans. Ma femme est calédonienne et mon fils est né ici. Je n'ai plus d'attaches en métropole. Toute ma famille est en calédonie, de même que mes biens personnels et mon entreprise. Bien que profondément attaché et impliqué dans la vie économique, sociale et politique du territoire, il se trouve que, comme mes parents, je suis privé du droit de vote pour le référendum du 8 novembre et pour les prochaines provinciales.

Pourquoi? Tout simplement parce que, pour des raisons familiales, j'ai été absent du territoire d'octobre 1988 à septembre 1990. Deux ans dans toute une vie passée en Nouvelle-Calédonie à faire des études, à travailler, à créer des emplois et à payer des impôts! Tous les recours administratifs et judiciaires ont été épuisés sans résultat. Je suis rejeté. Etranger chez moi!

Il ne me reste plus qu'à demander à la République française la double nationalité (accordée aux anciennes colonies) afin de me permettre de voter en métropole pour les régionales et pour d'autres députés ou sénateurs que ceux d'ici, qui sollicitent mes suffrages, mais acceptent que je sois privé de mes droits de «citoyen calédonien» à part entière … . Ma demande est anticonstitutionnelle? Alors une fois de plus … changeons la constitution!

Maurice Maresco

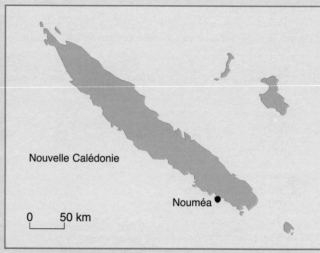

La Nouvelle-Calédonie est un Territoire d'Outre-Mer français situé dans l'Océan Pacifique.

b   Trouvez dans le texte l'équivalent exact des expressions ci-dessous:
1   empêché de pouvoir voter
2   liens
3   ce que je possède
4   verser une somme d'argent à l'état
5   utilisés jusqu'à ce qu'il ne reste plus rien
6   ils ne veulent plus de moi
7   pour pouvoir
8   demandent que je vote

(8 points)

c   Complétez les phrases ci-dessous en choisissant le mot qui convient dans chaque cas.
1   (Grâce au / grâce à l' / à cause de l') *Echo Calédonnien*, Marc a pu (contribuer / s'exprimer / dire) (ce qu' / ce qui / ce dont) il pense des lois de son pays.

2   (Bien qu' / parce qu' / pendant qu' / 'il soit totalement impliqué dans la vie de la Nouvelle-Calédonie Marc s'est vu (empêcher / priver / refuser) du droit de vote.

3   (Tous / touts / tout) les ressortissants de Nouvelle-Calédonie qui sont absents pendant deux ans ne peuvent pas (prendre part / élire / s'engager) aux élections municipales.

4   Il est nécessaire que Marc (ait demandé / demande / demandera) la double nationalité.

5   Si Marc (obtenit / obtient / obtiendra) la double nationalité, il lui sera possible (de / à / pour) voter en Métropole.

6   (Ceux qui / ceux que / celui qui) habitent dans un pays mais sont étrangers ne peuvent pas voter (après / à moins d' / jusqu'à) acquérir la nationalité de ce pays.

(12 points)
Total: 20 points

2 Nos villes

a **Lisez ce que trois membres du Parti Socialiste des Yvelines ont écrit sur un forum d'Internet.**

Fichier Edition Affichage Aller Signets Options Aide

URL : http://www/

Je souhaite la bienvenue à tous les internautes sur le forum de la gauche plurielle de Versailles. Le monde entier connaît Versailles pour son château et ses belles avenues.
Ce que l'on connaît moins ce sont les inégalités qui existent pour les nombreux Versaillais, qui ne dorment pas tous, loin s'en faut, dans la chambre du roi. Cet espace d'échange permettra à la liste que j'anime pour les prochaines élections municipales, de renforcer notre dialogue et d'élaborer ensemble des solutions pour que Versailles n'entre pas dans le 21ème siècle à reculons.
Isabelle Coulomb

Les Yvelines sont riches et prospères. Pourtant sur toute la vallée de la Seine, nous savons bien que la prospérité est mal répartie. Il y a fort à faire pour que nos jeunes s'intègrent à la vie sociale et professionnelle. Il y a fort à faire pour apporter dans les cités la solidarité que la droite refuse de développer. La première chose à faire, pour nous aux élections municipales c'est de dialoguer toujours plus, mieux comprendre les questions, mieux entendre les projets. Sur Internet, vous prenez la parole sans qu'on vous la donne. Discutons!
Jean-Pierre Blanc

Les 7 communes de la ville nouvelle de Saint Quentin en Yvelines vont entrer avec la loi sur l'intercommunalité dans une nouvelle époque de leur vie. S'il est vrai que c'est dans les quartiers modestes qu'émergent les talents d'un grand footballer ou d'un talentueux comique, il n'est pas moins vrai que trop d'inégalités perdurent encore au sein de notre ville nouvelle.
Lionel Denis

Document : terminé

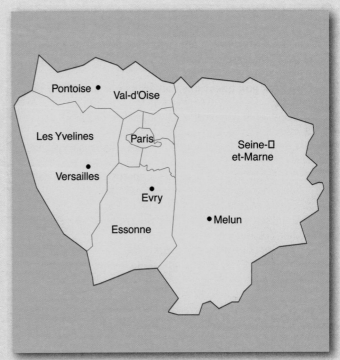

b **Répondez à ces questions à choix multiples.**

1 Versaille est célèbre pour
  a la chambre du roi
  b ses attractions futuristiques
  c son palais

2 Il ne faut pas que Versailles
  a régresse
  b ait trop de sans-abris
  c refuse le dialogue

3 Dans les Yvelines, les jeunes
  a sont très bien intégrés à la vie sociale
  b ne sont pas tellement intégrés à la vie sociale
  c ne veulent pas s'intégrer à la vie sociale

4 La droite
  a ne s'intéresse pas au développement de la solidarité dans les cités
  b pense qu'il n'y a rien à faire dans les cités
  c que les cités doivent développer la solidarité

5 A Saint Quentin, les inégalités
  a se multiplient
  b ont disparu
  c existent en grand nombre

(5 points)

3 Interview

a Ecoutez l'interview dans laquelle Guillaume Durand parle du département des Yvelines et de la politique.

b Répondez aux questions suivantes par un chiffre ou en français:

1. Combien d'habitants y a-t-il dans les Yvelines? (1)
2. Quand a été fait le dernier recensement? (1)
3. Combien de circonscriptions y a-t-il dans les Yvelines? (1)
4. Quelle est la proportion des députés socialistes par rapport à l'ensemble des députés? (2)
5. Quelle était la fonction de Charles Pasqua? (1)
6. Combien y-a-t-il d'habitants dans le plus petit canton des Yvelines? (1)
7. Quel est le parti qui le dirige? (1)
8. Combien d'habitants y a-t-il dans le plus grand canton des Yvelines? (1)
9. Quel est le pourcentage des cantons qui appartiennent à la gauche? (2)
10. Combien de sénateurs représentent les Yvelines au palais du Luxembourg? (1)
11. Quelle est la conclusion qu'en tire Guillaume Durand? (3)

(15 points)

Total de l'exercice 2 et de l'exercice 3: 20 points

4 A deux!

Imaginez que l'un de vous soit journaliste et que l'autre soit candidat sur une liste électorale dans une ville de la région parisienne. Le journaliste pose des questions et le candidat y répond. Parlez pendant un minimum de deux minutes.

(10 points)

5 Les femmes en politique

a Lisez le texte ci-dessous:

La plus haute antiquité

L'histoire des droits politiques de la femme est vieille comme la politique elle-même. Certaines sociétés antiques telle la société égyptienne surent donner aux femmes de réelles responsabilités politiques, sans toutefois leur accorder la parité: les femmes en politique furent toujours une minorité ou une exception. A Athènes, berceau de la démocratie, les femmes sont tenues pour quantité négligeable et à part quelques exceptions ne peuvent dissimuler l'état d'arriération intellectuel et social dans lequel sont maintenues les Athéniennes. A Rome, la situation ne fut pas meilleure et si l'on goûtait les conversations de certaines courtisanes cultivées, il fallut attendre le Christianisme qui permit aux premières chrétiennes romaines d'accéder à une vie intellectuelle.

Ça continue ensuite!

Si les premiers temps de l'église en Europe sont émancipateurs pour les femmes, cela ne dure pas et la femme est très vite confinée à n'avoir qu'une influence cachée sur le pouvoir: amour courtois, favorites sont les signes de l'impossibilité des femmes à accéder aux responsabilités au grand jour. De plus en plus nombreuses à accéder à la connaissance, elles ne parviennent jamais à s'imposer dans l'ordre politique, masculin par essence puisque directement lié au monde guerrier. Les rares femmes accédant à de réels pouvoirs locaux sont des religieuses, les riches abbesses qui disposent parfois de pouvoirs politiques considérables. À la veille de la Révolution, la situation n'a pas davantage évolué, même si les femmes de l'aristocratie tenant salon usent de leur influence pour infléchir le cour des choses.

Suffragettes, féministes et droits politiques

Le Code Napoléon constitue un progrès conséquent pour les droits des femmes. Le XIXème siècle voit l'avènement d'une problématique féminine, autour du romantisme d'abord. L'émergence de la sexualité féminine comme objet d'étude ou de création (Mme Bovary - Flaubert) contient les prémices d'un discours sur l'autonomie, la maîtrise du corps, l'apport spécifique des femmes à la société.

En 1901, une première proposition de loi sur le droit de vote des femmes est rejetée.

En 1936, trois femmes entrent au gouvernement du Front Populaire sans droit de vote.

En 1944, les Françaises obtiennent enfin les droits d'élire et d'être élue, plus de 4 millions d'années après l'apparition de l'espèce humaine!

b Reliez les débuts et les fins de phrases suivants:

1 Dans l'Antiquité, la société égyptienne entre autres
2 A Athènes, par contre, les femmes
3 Les Romaines n'ont accédé à la vie intellectuelle
4 En Europe, les femmes, bien que nombreuses à acquérir le savoir
5 Il faudra attendre 1936 pour que trois femmes
6 Il faudra que les Françaises attendent 4 millions d'années pour

a qu'à l'arrivée du Christianisme.
b entrent au gouvernement.
c n'avaient aucun statut.
d obtenir le droit de vote.
e n'arrivent pas à s'imposer en politique.
f a su donner aux femmes certaines responsabilités politiques.

(6 points)

6 Celles qui brisent la loi du silence

«Moi, femme, mère, soeur, épouse de Corse, je prends résolument le parti de la vie et déclare la guerre à la violence qui règne en maître dans ce pays.» Ainsi commençait le «Manifeste pour la vie», rédigé par une poignée de femmes corses, début 1995, au lendemain d'une longue série d'assassinats, dont quatre pour la seule période de Noël. Douze mille Corses ont signé leur manifeste et quarante mille les ont suivies dans les rues de Bastia et d'Ajaccio pour crier leur colère contre la violence. Le courage de ces femmes d'oser enfin dire tout haut ce qu'une grande majorité d'insulaires pensait tout bas a permis de rendre à la société civile une parole jusque-là confisquée par les nationalistes et les hommes politiques de tous bords. Depuis, de plus en plus de femmes osent braver le vieil interdit pour elles de la parole publique et se mettent à briller dans de multiples domaines. Signe de cette évolution, de plus en plus d'hommes les soutiennent.

a Ecoutez les réflexions de quelques-unes d'entre elles sur les thèmes qui les préoccupent aujourd'hui et écrivez le nom de la personne qui ...

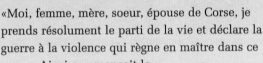

Lucie Desidéri Marie-Hélène Mattei Paule Graziani
Danièle Caïtucoli Francine Grilli Marie-Ange Suzini

1 parle de la date à laquelle le FLNC a été créé.
2 a été l'une des premières femmes à avoir l'idée de rédiger le manifeste.
3 pense que la violence est justifiée dans certains cas.
4 affirme qu'en Corse les femmes ne s'épanouissent pas facilement.
5 dit qu'en Corse les hommes ont moins tendance à quitter la cellule familiale que les femmes.
6 constate que les femmes corses ont du mal à parler de la violence qui peut exister dans leur foyer.
7 remarque que tout a changé à partir du moment où les femmes se sont mises à travailler.
8 regrette qu'il n'y ait pas plus de femmes en politique.
9 déclare qu'après la création du FLNC les attentats ont rapidement augmenté.
10 pense que le système politique de la Corse est fondé sur la corruption.
11 dit que les hommes dominent la scène politique corse.
12 affirme que les femmes corses ne quittent que très rarement le domicile conjugal.

(12 points)
Total des exercices 5 et 6: 18 points

7 Jeu de rôles

Partenaire A: imaginez que vous faites parti du FLNC. Pour vous, la seule manière d'atteindre votre but est la lutte armée.
Partenaire B: vous êtes pacifiste et pour vous il y a d'autres moyens que la violence pour atteindre son but.

(10 points)

Partenaire A	Partenaire B
Il y a des cas où la violence est la seule méthode possible	On ne peut pas approuver les méthodes terroristes
Les moyens des terroristes	La fin ne justifie pas toujours les moyens
Tous les moyens sont bons	Il existe d'autres moyens refus de la violence
L'usage de la violence	
La légitime défense	La non-violence: moyen efficace
La violence paraît inévitable	
Recourir à la violence	La violence n'engendre que du malheur, n'amène rien

Extra

1 Contraste: La cohabitation difficile des deux Strasbourg

Lisez le premier extrait:

Tandis que touristes, hommes d'affaires, élus et fonctionnaires européens se croisent dans les rues du centre-ville historique, des quartiers plus difficiles flambent régulièrement. Une fracture urbaine et sociale qui sera au coeur de la bataille municipale des prochaines élections.

Il y a, dans cette ville, un décalage entre la tendance à se proclamer capitale de tout, de l'Europe, actuellement de Noël et la réalité. Strasbourg est une formidable ville de province. Pas une capitale. Strasbourg est d'abord une ville populaire, mais ce phénomène est masqué par l'insolente richesse de son centre. Ce contraste entre le centre-ville dynamique, au riche patrimoine architectural, et ses faubourgs difficiles, sera au coeur de la campagne municipale de Catherine Trautmann, l'obligeant à défendre son bilan et à faire de nouvelles propositions. Sous la pression de sa concurrente UDF, Fabienne Keller, qui veut «réconcilier les Strasbourgeois avec Strasbourg».

Le million de visiteurs de décembre, attiré par le marché de Noël est ébloui par le centre-ville ruisselant de lumières avec,

près de la cathédrale, ses boutiques du «Carré d'Or» et, un peu plus loin, les quartiers cossus. Strasbourg, et son agglomération de 450 000 habitants, ne saurait rivaliser avec une capitale nationale comme Bruxelles. Mais elle sait jouer de sa situation géographique, de sa double culture française et rhénane, de ses trois universités, de ses chercheurs de réputation mondiale, pour séduire les investisseurs. Plus de 50% des firmes à capitaux étrangers sont concentrés dans la métropole alsacienne, avec une prédominance allemande, mais aussi une forte présence américaine.

Glossaire

un RMiste personne qui touche le RMI ou Revenu Minimum d'Insertion. Le RMI a été créé par la loi du 1/12/88 pour permettre à chacun de disposer de ressources suffisants pour faire face à ses besoins et favoriser la réinsertion des plus démunis.

a **Trouvez dans le texte ci-dessus l'équivalent exact des expressions ci-dessous.**
1 ceux qui sont désignés par élection
2 ceux qui occupent un emploi permanent dans une administration publique
3 quartiers populaires périphériques
4 concentration d'habitations
5 personne qui place des capitaux dans une entreprise

b **Répondez aux questions suivantes en français**
1 Pourquoi est-ce que Strasbourg présente un contraste?
2 Que sera obligée de faire Catherine Trautmann lors de la campagne municipale?
3 Quels atouts de Strasbourg séduisent les investisseurs?
4 D'où viennent les principaux investisseurs?

c **Trouvez dans le texte de la page 85 l'équivalent exact des expressions ci-dessous.**
1 qui font parler d'elles
2 d'après ce qu'il pense
3 le manque d'ouvriers spécialisés
4 afin de fournir les moyens de se réadapter

d **Répondez aux questions suivantes en français:**
1 Qui habite dans les cités?
2 Pourquoi les Strabourgeois sont-ils inquiets?
3 Que se propose de faire la candidate UDF aux élections municipales?
4 Comment répond le Maire de Strasbourg aux critiques?

Lisez le deuxième extrait:

Mais la réalité peu à peu s'impose: il existe deux Strasbourg. On est bien loin, au centre, de certaines cités , d'une dizaine de «zones» qui défraient régulièrement la chronique. «La fracture» n'est pas nouvelle. La ville n'est pas très ouverte à la mixité sociale. Le problème de fond, c'est le contraste entre la ville, globalement prospère et les territoires restés au bord du chemin, reconnait le préfet de région, Philippe Marland, qui a tiré la sonnette d'alarme auprès des différentes assemblées politiques. Selon ses estimations, quelque 100 000 des 250 000 Strasbourgeois vivent dans des quartiers à problèmes.

Dans ces cités à l'architecture souvent dégradée se concentrent les populations à faible revenu (80% des RMistes du Bas-Rhin) ou confrontées aux problèmes du chômage. Ce qui inquiète les Stasbourgeois, c'est la montée de la violence. Le phénomène des voitures brûlées ne cesse de s'aggraver. Actuellement, on assiste à une augmentation des agressions. On ne peut que regretter l'échec des politiques successives de la ville. Cette question des quartiers, l'intégration des jeunes sans qualification, dont une partie est issue de l'immigration, n'intéresse pas seulement les acteurs sociaux. Les chefs d'entreprise se plaignent de la pénurie de main-d'oeuvre qualifiée dans une région dynamique.

Les premières attaques sur le thème de «l'égalité urbaine» sont venues, il y a quelques mois, de la propre équipe de Catherine Trautmann et plus particulièrement de son ancien adjoint. Fabienne Keller et Robert Grossmann se disent également surpris des contrastes entre les différents quartiers. «Il y a un immense travail à faire pour réinsérer certains quartiers laissés à la dérive dans la ville et pour y recréer une dynamique», souligne la candidate UDF. Face aux critiques, le maire de Strasbourg défend le travail de réhabilitation des logements, qui étaient dans un état désastreux, entrepris depuis 1989, tout comme les efforts pour offrir, dans toute la ville, la même qualité de vie et les mêmes conditions d'accès à l'emploi.
Yolande Baldeweck

2 Appel!

Ecoutez ces trois personnes qui parlent de la situation actuelle en France. Lisez les phrases qui suivent et complétez chacune d'entre elles avec un seul mot. Répondez en français.

a Bernard ... (1) ... de la position adoptée par le gouvernement vis à vis des chômeurs.

b Le gouvernement devrait fournir des ... (2) ... aux chômeurs plutôt que de l'assistanat systématique.

c Bernard a été ... (3) ... pendant plus d'une année.

d Bernard est allé jusqu'à la ... (4) ... en faculté.

e Bernard ... (5) ... de son avenir.

f Sybille ne pense pas qu'être au chômage ... (6) ... un bon exemple pour les enfants.

g Sybille pense que les Français n'avanceront pas à moins de changer de ... (7).

h Jean-Charles se demande si ses enfants ont encore un ... (8) ... .

3 Monsieur le Ministre, on vous parle!

A deux.
Partenaire A: vous êtes le Premier ministre et vous répondez aux questions d'un jeune qui vous pose des questions.
Partenaire B: vous êtes le jeune qui pose des questions au ministre sur les sujets d'actualité qui vous préoccupent.

4 Recherche sur Internet

Recherchez des informations sur une des grandes villes françaises et les problèmes auxquels sont confrontés la population. Ecrivez un article (200/250 mots) similaire à l'article précédent.

Chapitre 5: Le village global

Pages	Thèmes	Grammaire	Compétences
87–89 Départ	Les pays francophones	Prépositions: révision	Elargir sa connaissance des pays francophones,
90–99 Progression	Modes de vie: Comment maintenir le Gap? Anicet fait découvrir son école Le choléra, prévenir plutôt que guérir? Le sida – fléau des pays en voie de développement En safari en Afrique de l'est Découvrir Saint-Martin Conflits humains C'est ici qu'on meurt Quand la télé fait son boulot Les informations Violence à Netzarim Des réfugiés en Albanie	Dont: révision	Comprendre des articles de journaux Comprendre des reportages parlés Elargir son vocabulaire Essayer de convaincre Rédiger une dissertation Participer à une discussion Traduire en français
100–102 Examen	Les droits de l'homme Torture: ce que j'ai vu en Algérie La torture des enfants Enfances irakiennes La capitale mondiale du viol		Examen blanc
103–105 Extra	La religion		

Départ

1 Des pays francophones

Vous êtes fort(e) en géographie? Regardez la carte aux pages 88 et 89. Quels sont les pays francophones (1-23)?

- l'île de Madagascar
- le Maroc
- l'île Maurice
- le Niger
- la Polynésie française
- la République Centrafricaine
- le Rwanda
- le Sénégal
- les Seychelles
- la Suisse
- le Tchad
- l'Algérie
- la Belgique
- le Bénin
- le Burkina Faso
- le Burundi
- le Cambodge
- la Côte d'Ivoire
- le Gabon
- la Guinée
- l'île d'Haïti
- le Liban
- le Luxembourg

Grammaire (Rappel!)

To say in + country remember that you use **en** if the country is feminine.

Example: *en France*

If the country is masculine use **au**.

Example: *au Canada*

If it is plural use **aux**.

Example: *aux Seychelles*

Remember to use **à** for towns.

Example: *à Paris*

Exercice 1

En utilisant un dictionnaire écrivez *en, au, aux* ou *à* devant ces pays et ces villes:

pays / villes

1	Belgique	14	Etats-Unis
2	Canada	15	Russie
3	Sénégal	16	Tchad
4	Bruxelles	17	Edimbourg
5	Suisse	18	Niger
6	Luxembourg	19	Antilles
7	Liban	20	Tunisie
8	Chine	21	Pakistan
9	Jamaïque	22	Varsovie
10	Douvres	23	Norvège
11	Viêt-Nam	24	Australie
12	Moscou	25	La Haye
13	Montréal		

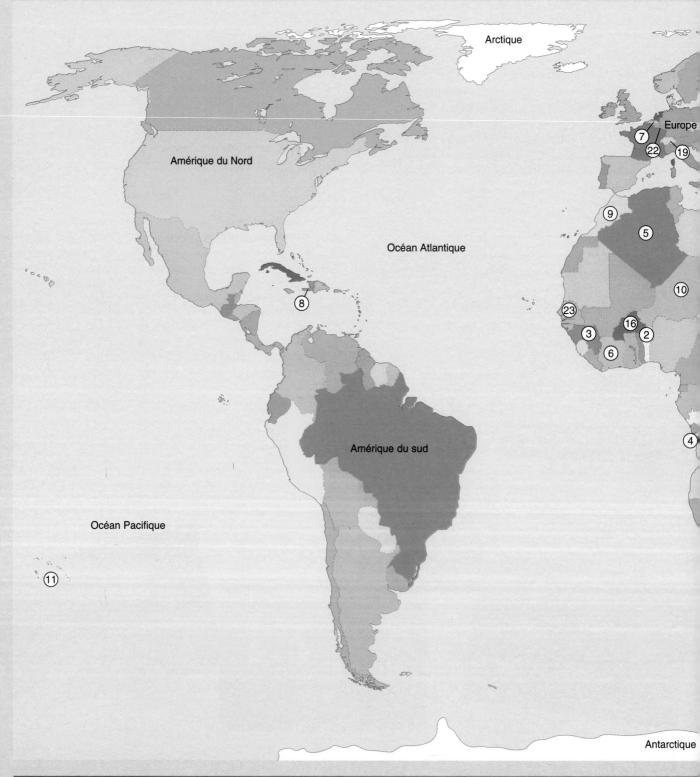

Arctique

Europe

Amérique du Nord

Océan Atlantique

Amérique du sud

Océan Pacifique

Antarctique

Progression

1 Modes de vie

Le mode de vie des pays occidentaux
Lisez cet article paru dans *L'Express*.

Comment maintenir le Gap?

Tout à sa conquête de la planète, l'inventeur du pantalon kaki a oublié de se renouveler. Il le paie cher.

La vie selon Gap n'est plus un modèle. Victime de la mode ou de sa croissance insuffisamment maîtrisée, le géant américain du vêtement décontracté connaît depuis quelques mois une chute de ses ventes aux Etats-Unis, entraînant celle du titre en Bourse. Plus qu'un ralentissement, la firme de San Francisco traverse une vraie crise d'identité. Car, à vouloir habiller toute la planète, après avoir équipé les Américains, Gap s'est banalisé. Davantage occupé à multiplier les ouvertures de magasins à un rythme effréné autant aux Etats-Unis qu'en Europe (il en existe près de 2 000 en tout), l'inventeur du pantalon kaki a oublié de se renouveler.
«Les jeunes de 15 à 25 ans en ont eu assez de ces vêtements basiques, uniformes, voire ennuyeux. D'où une certaine désaffection pour la marque», explique Claude Degrès du cabinet Fulgurance. D'autant que la concurrence est venue bouleverser la donne. Après avoir été copié, Gap s'est laissé dépasser par des enseignes comme H&M ou Zara qui proposent beaucoup plus de variété de choix et un renouvellement rapide de leurs collections – pas le temps de lasser – pour des prix bien plus accessibles que ceux du spécialiste du sportswear. Gap a réagi en créant de la couleur à côté des tons naturels – écru, beige – qui ont fait sa réputation. «Monter en gamme et retrouver sa créativité», affirme le consultant – voilà la solution pour la marque qui a l'ambition de devenir le Coca-Cola de l'habillement.

a **Répondez aux questions suivantes:**
   1 According to the passage, what has the founder of Gap forgotten to do?
   2 How has Gap's growth contributed to its downfall?
   3 What has happened to sales in the United States?
   4 According to the passage, what is Gap's ambition?
   5 What has preoccupied Gap recently?
   6 Why are young people showing a lack of interest in Gap's clothes?
   7 Mention three ways in which Gap's competitors are outperforming them.

b **Relisez les phrases imprimées en couleur. Donnez l'équivalent en anglais.**

2 La famille des mots

a **Voilà quelques mots parus dans l'article ci-dessus. Ecrivez le verbe ou le substantif associé.**

Substantif	Verbe
croissance	*Exemple:* croître
	connaître
ralentissement	
	équiper
	multiplier
ouverture	
	renouveler
	expliquer
	bouleverser
spécialiste	
solution	

b **Faites une liste de 20 verbes de votre choix. Écrivez les substantifs associés, comme dans le tableau ci-dessus.**

La surconsommation occidentale.

La pauvreté dans le tiers-monde.

3 Le mode de vie du Tiers-monde

a Anicet, du Burkina Faso va vous faire découvrir
son école.
**Ecoutez la cassette et répondez aux questions en
français.**
1 Qu'est-ce que c'est Rangoo?
2 Nommez trois pays voisins du Burkino Faso.
3 Décrivez le paysage aux environs d'Ouagadougou.
4 Comment sont les murs de l'école d'Anicet? Et le
plafond?
5 Les élèves dans la classe d'Anicet, ils ont quel âge?
6 Pour quelle raison y a-t-il plus de garçons que de filles à
l'école d'Anicet?
7 Quelle est la valeur de la langue française pour ces
élèves?
8 Pourquoi l'école commence-t-elle tôt le matin?
9 Le comportement des élèves dans la classe d'Anicet, il
est comment?
10 Qui est Gaston?
11 D'où vient l'eau pour le potager?
12 Qu'est-ce qu'on boit au déjeuner?

b **Ecoutez encore une fois la cassette. Notez l'équivalent
des phrases suivantes.**
1 au centre du
2 établissement scolaire
3 quelques-uns de mes copains
4 rendre plus facile
5 les tâches ménagères
6 un nombre croissant de filles
7 il ne fait pas trop chaud
8 avec du bruit
9 jardin où l'on cultive les légumes

Le saviez-vous?

- Le Burkino Faso est un des pays les plus pauvres de
l'Afrique.
- Le nom veut dire <<le pays des gens honnêtes>>.
- Il y a 10,5 millions d'habitants. 48% ont moins de 15 ans
et seulement 3% ont plus de 65 ans.
- 19% des Burkinabés âgés de 15 ans savent lire. Environ
15% des enfants vont à l'école primaire mais seulement
2% continuent à l'école secondaire.
- Au Burkino Faso il y a 1 280 kilomètres de routes pavées
(811 200 en France) et 23 aéroports dont 10 pavés (460 en
France). Il y a 20 000 téléphones (35 millions en France) et
49 000 télévisions (29,3 millions en France).

4 Travail à deux

**Vous voulez demander à un(e) ami(e) de faire un don
pour la construction d'un hôpital en Afrique. Essayer
de le / la convaincre de vous donner de l'argent.
(Votre partenaire doit regarder la page 93, exercice 11
pour trouver sa réponse.)**

«Donnez un poisson à
un homme qui meurt
de faim et vous
l'alimentez pour un
jour seulement.
Donnez-lui une canne
à pêche et vous
l'alimentez pour le
reste de sa vie.»

**Ancien proverbe
des américains
autochtones.**

5 Dissertation

**«En donnant de l'argent aux organisations caritatives
on oblige les pays les plus pauvres à rester dans un
état de dépendance.» Comment peut-on mieux aider
les pays en voie de développement?**

6 Maladies dans le Tiers-monde

Lisez l'article ci-dessous.

L'Afrique du Sud décimée par le virus

L'année dernière 3,8 millions de personnes sont décédées du sida dans le monde dont 2,2 millions ont succombé en Afrique, au sud du Sahara.

Le virus est devenu la première cause de mortalité des femmes enceintes en Afrique du Sud. Il est responsable d'un tiers des décès dans les maternités de l'ex-pays de l'apartheid, où deux femmes sur trois seraient infectées. Comme une bombe qui condamnerait tous les jours, sans discrimination, 1 700 nouvelles personnes

A Madagascar l'association «Médecins du Monde» lutte contre le choléra par la prévention et l'éducation à l'hygiène.

7 Le choléra, prévenir plutôt que guérir?

a Ecoutez la cassette et remplissez les blancs.

1 … … … on a trouvé le premier cas de choléra à Madagascar.
2 … … … et … … sont les endroits touchés.
3 Il y a eu déjà … morts.
4 Madagascar est un des … … … … … du monde.
5 La plupart des gens n'ont pas … … … … .
6 Beaucoup d'enfants meurent des … … .
7 … … et un médecin ont mis en place le programme de prévention.
8 Bernard Lambert est … … … … .
9 On … les ordures et nettoie les … .

b Ecoutez la cassette encore une fois. Est-ce qu'on emploie ces phrases dans le passage ou non?

1 depuis le 27 mars
2 ainsi que la capitale
3 40 000 cas
4 un conseil national de secours
5 l'activité des ONG
6 d'une manière importante
7 les lieux qu'elle représente
8 assuré par des personnes
9 des opérations communautaires
10 coordinateur de cette émission
11 le 11 août
12 mobilisation concernant le choléra

8 Le sida - fléau des pays en voie de développement

2.6 millions de personnes meurent chaque année du sida. Jamais cette maladie, qui s'attaque aux défenses immunitaires de l'organisme, n'avait autant tué. Mais tous les pays ne sont pas également touchés par le terrible virus. Le point sur une épidémie qui n'en finit pas de se propager.

Lisez le texte ci-dessous.

Victimes directes et indirectes

En quatre décennies de 1950 à 1990, les Africains du Sud avaient lentement mais sûrement acquis une quinzaine d'années de vie supplémentaires. Un gain que le sida aura réduit à néant en vingt ans à peine. Près de la moitié des personnes qui contractent le VIH sont infectées avant l'âge de 25 ans et décèdent généralement avant d'avoir 35 ans. Fin 1999, le sida laisse dans son sillage 11,2 millions d'orphelins ayant perdu leur mère ou leurs deux parents. Dans certains pays d'Afrique subsaharienne, 1 enfant sur 10 est dans cette situation. Malnutrition, maladie, abus sexuels et prostitution sont souvent le lot de ces enfants rejetés par la société.

a   Remplissez les blancs en choisissant des mots dans la boîte ci-contre.

Des bébés malades du SIDA en Afrique du Sud.

De quoi meurt-on?

Le sida est désormais la ... (1) ... cause de mortalité dans le monde, mais la première en ... (2) ... . En Europe, en ... (3) ... , le sida n'arrive qu'en 42e position. Environ ... (4) ... des décès qui lui sont dus ont pour cause directe la tuberculose. C'est, après le sida et ... (5) ... lui, la maladie infectieuse qui tue le plus dans le monde. Car le VIH a en effet la sale manie de ... (6) ... les défenses immunitaires de l'organisme. Ainsi ... (7) ..., le malade n'est plus à même de lutter, que ce soit contre le funeste bacille de Koch (responsable de la ... (8) ...), ou d'autres maladies opportunistes dont les plus ... (9) ... sont la pneumonie à *Pneumocytis carinii*, la candidose de l' ... (10) ... , le sarcome de Kaposi (une sorte de cancer) et la toxoplasmose.

saboter	quatrième	infecté	courantes
oesophage	30%	à cause de	
Afrique	revanche	tuberculose	

9 Le sida - transmission de la mère à l'enfant 😐

Ecoutez la cassette et répondez en anglais.
1   What three situations are mentioned in which a mother may transmit the AIDS virus to her child?
2   How much greater is the risk in the developing countries than in the West?
3   How has the number of cases been reduced?

10 Dissertation

20% des pays du monde disposent de 80% de ses ressources. Peut-on justifier cette situation? Comment la changeriez-vous?
- Y a-t-il assez de ressources pour tous les habitants de la planète?
- Peut-on justifier le mode de vie des vedettes «ultra-riches» vis à vis de la pauvreté dans laquelle des millions de gens mènent leur vie?
- Faites des recherches sur les question des dettes que doivent payer les pays en voie de développement aux pays occidentaux.
- La colonisation, est-elle la vraie coupable?

11 Travail à deux (Voir page 91, exercice 4)

Votre partenaire essaie de vous convaincre de lui donner de l'argent pour la construction d'un hôpital en Afrique mais vous refusez en disant qu'il y a beaucoup de problèmes en Europe et qu'il ne faut pas donner l'argent aux gens des pays lointains. Mais ça n'est pas la vérité. Vous ne voulez pas donner d'argent parce que vous partez dans deux semaines en vacances et vous en avez besoin pour vous.

12 Le monde des touristes

En safari en Afrique de l'Est. Les touristes ont une influence certaine sur la biodiversité et les cultures.

Lisez le texte ci-dessous.

a **Trouvez dans le texte les mots qui ont le même sens que les expressions suivantes:**
   1 qui s'est produit récemment
   2 voyager partout dans le monde
   3 avec les avancements technologiques
   4 habitants des pays développés
   5 pendant les années récentes
   6 bien comprendre les effets du tourisme
   7 arrivés
   8 simultanément
   9 habitant à une grande distance d'autres villes ou d'autres villages
   10 loin des lieux fréquentés par la majorité des touristes

b **Répondez en anglais:**
   1 What gave rise to cultural contacts before the arrival of mass tourism?
   2 What changed this?
   3 Why has the change been accelerated?
   4 What does the writer mean by an 'imbalance' 'déséquilibre'?
   5 According to the passage, why do tourists visit remote areas?
   6 What is happening to these remote areas?

Le tourisme est une activité sociale d'origine récente qui a pris trop vite une dimension mondiale. Mais bien avant que les touristes commencent à traîner leurs bagages tout autour du monde, les échanges commerciaux, les guerres et les migrations ont créé des interactions sociales entre différentes cultures. Les contacts culturels étaient plutôt réduits et ne se produisaient que dans des régions géographiques précises ou dans les limites d'empires politiques et militaires en expansion.

Toutefois, avec l'arrivée de nouvelles technologies dans les communications et dans les moyens de transport, les voyageurs ont adopté une nouvelle attitude face à leurs déplacements. Certains (surtout des occidentaux) ont voulu voyager pour le seul plaisir qu'ils en tiraient. C'était le début d'une mondialisation de la culture. Le processus n'a fait ensuite que s'accélérer au cours des dernières décennies grâce aux plus récentes percées technologiques de l'aviation et de l'information.

Une fois parvenus à destination, les touristes sortent de leurs bagages des conceptions du monde et des comportements qui leur sont propres. Mais en même temps, ils sont transformés par l'expérience du voyage.

Il existe toutefois un déséquilibre, l'influence des voyageurs sur les populations visitées s'avérant habituellement la plus forte. La majorité des touristes qui circulent dans le monde viennent d'un petit nombre de pays riches à culture dominante; ils sont eux-mêmes habituellement assez peu touchés par des visiteurs originaires de pays au poids culturel restreint. Le tourisme accroît donc le risque de ruptures culturelles et écologiques dans les petites sociétés.

Le désir de passer des vacances exotiques pousse aussi les touristes à se rendre auprès de populations indigènes ou de groupes ethniques minoritaires vivant en des endroits éloignés. Plusieurs de ces sociétés indigènes ont justement maintenu jusqu'à ce jour des traditions particulières faites de pratiques complexes mais durables de gestion de leur environnement. Ces groupes sont très vulnérables aux effets négatifs du tourisme. Bien des sites autrefois considérés hors des sentiers battus sont aujourd'hui surpeuplés à cause de ces visiteurs en quête de destinations touristiques inexplorées. Cela ne fait qu'accroître la dégradation sociale et environnementale.

Saint-Martin, île réputée pour ses plages magnifiques…

13 Saint-Martin: imbroglio historico-linguistique

Lisez cet extrait d'une brochure.

Découvrir Saint-Martin et les îles

Ile réputée pour ses plages magnifiques, paradis du shopping, des tapis verts et des fêtes de la jet-set internationale, Saint-Martin ravit également par son incroyable imbroglio historico-linguistique.

Ce petit bout de terre de 93 kilomètres carrés disputé par les Espagnols, Anglais, Français et Hollandais au XVIIIe siècle, partagé depuis 1648 entre la France et les Pays-Bas par un traité, pratique de préférence la langue anglaise et accueille de nos jours une majorité de touristes américains dont la majorité utilisent leurs dollars à peu près partout.

Que les défenseurs de la francophonie se rassurent néanmoins, le français est largement et officiellement pratiqué sur les deux tiers de l'île. Ce qui n'empêche pas de nombreux Saint-Martinois de parler d'abord l'anglais, sur cette terre voisinant avec des îles au passé marqué par la présence britannique et dont les populations se mélangent depuis des siècles.

Quant à la langue néerlandaise, très isolée dans cette partie des Antilles, elle ne s'est pas fait sa place au soleil, largement éclipsée par la langue de Shakespeare, même à Saint-Martin. Au point que lors des élections, les affiches des partis politiques sont aussi rédigées en anglais! Enfin, n'oublions pas l'esclavage, aboli en 1848, qui, comme dans tout l'arc antillais, a imprégné l'histoire locale et favorisé ce grand brassage culturel.

Cet imbroglio historico-linguistique contribue amplement au charme de Saint-Martin, terre réputée pour ses plages magnifiques, mais dont le passé reste inconnu. Découverte au cours de son dernier voyage vers l'Amérique par Christophe Colomb en 1493 – le 11 novembre, jour de Saint-Martin – l'île était alors sans doute habitée par les Indiens Arawak dont les prédécesseurs vivaient là depuis plus de mille ans. Ces occupants ont disparu sans qu'on connaisse les causes exactes de cette disparition. Il n'existe en effet aucune chronique relatant des contacts entre Amérindiens et Européens au XVIe siècle. Ce n'est que tout récemment, que l'on a commencé à s'intéresser aux Saint-Martinois précolombiens.

Regroupées dans l'unique musée de l'île, intitulé Sur les Traces des Arawak à Marigot, côté français, de considérables découvertes issues d'une trentaine de sites ont permis d'en savoir bien davantage sur l'histoire insulaire. Ainsi, cette terre était habitée de manière certaine dès 1800 avant Jésus-Christ. Un plateau au centre de l'île, découvert en 1987, a livré les vestiges d'un village remontant au moins à 550 avant Jésus-Christ et occupé pendant mille ans, dates déterminées par la mise au jour de nombreuses céramiques, dont certaines sont les plus anciennes jamais trouvées aux Antilles.

a Donnez le français pour les phrases suivantes:

1 an incredible cultural and linguistic melting pot
2 those who support the use of French
3 on two thirds of the island
4 the Dutch language
5 slavery
6 whose past remains unknown
7 it is only recently that
8 to know more about them
9 1800 BC

> **Grammaire (Rappel!)**
>
> Dont: voir page 17, Chapitre 1: La planète en danger.

b Dans le passage sur l'île Saint-Martin, traduisez en anglais les phrases en caractères gras commençant par dont.

c Traduisez en français:

1 the countries whose people speak French
2 the people whose ancestors lived here
3 the countries whose culture is being destroyed
4 the man they are speaking about (=of whom they are speaking)
5 the visitor whose name I have forgotten
6 a town whose shops are very expensive
7 a country whose language is Dutch
8 the period about which much has been written
9 the money which they use (use = se servir de)

14 A vous!

Présentez vos pensées sur ces thèmes aux autres étudiants de votre classe:
Quels pays «exotiques» voudriez-vous visiter et pourquoi?

Un nombre croissant de gens ont le désir de visiter des endroits éloignés pour observer la culture des peuples indigènes. Etes-vous pour ou contre ce genre de tourisme?

15 Dissertation

«Le tourisme en masse est détrimental à l'environnement.» Ecrivez vos pensées en 250 mots.

Lisez les extraits ci-dessous et répondez aux questions
suivantes en anglais:

Haïti

Attentats avant la présidentielle

Une fillette de sept ans a été tuée et deux
autres personnes blessées hier par deux
explosions dans la banlieue de Port-au
Prince. Ces deux nouveaux attentats non
revendiqués portent à deux morts et seize
blessés le bilan d'une série de neuf
explosions survenues en 24 heures dans la
capital haïtienne. Cette vague de violence a
déclenché un climat de panique à Port-au-
Prince à trois jours de l'élection
présidentielle qui doit avoir lieu dimanche.

1   What has led to a state of panic in the capital of Haïti?
2   What is the total number of casualties?

Guinée-Bissau

Intense fusillades à Bissau

Les forces fidèles au gouvernement de la
Guinée-Bissau ont déclaré hier contrôler la
capitale, Bissau, où d'intenses fusillades ont
éclaté dans la matinée, trois jours après que
l'ancien dirigeant de la junte militaire
Ansumane Mane se fut autoproclamé chef des
forces armées.

3   Which two sides are fighting here?

Colombie

17 personnes assassinées

Un escadron de la mort d'extrême droite a
exécuté 17 personnes hier dans le village de
Nueva Venecia (Nord). Les victimes étaient
accusées par leurs assassins de complicité avec
la guérilla d'extrême gauche.

4   Why had these villagers been killed and by whom ?

Chine

Colère après l'incendie

Des parents et proches des victimes de l'incendie
qui avait fait 309 morts la nuit de Noël dans une
discothèque de Luoyang ont bloqué hier la
circulation d'un important carrefour de la ville en
réclamant «justice pour les morts». La police a
annoncé l'arrestation de quatre soudeurs qui
auraient provoqué l'incendie avant de prendre la
fuite sans donner l'alarme.

5   How have the parents and relatives of the victims
     responded to their deaths ?

Près du carrefour de Netzarim, théâtre de manifestations et d'émeutes quotidiennes depuis dix jours, de jeunes Palestiniens transportent le corps d'un adolescent tombé sous les balles des soldats israéliens.

17 C'est ici qu'on meurt

Lisez cet article paru dans le *Nouvel Observateur*:

C'est ici qu'on meurt

Dans le camp de réfugiés de Boureij, Jean-Paul Mari, journaliste, a parlé avec la famille de Mohammed al-Durra, l'enfant de 12 ans tué par les soldats israéliens dans les bras de son père.

«Netzarim est un carrefour de la mort ou l'on tire sur des hommes, des adolescents et des enfants, un endroit nu ou l'on ajuste tout ce qui bouge, passe et apparaît dans le champ de tir. Le carrefour de Netzarim était déjà une aberration géographique qui coupe la bande de Gaza en deux, en son centre, et oblige tout Palestinien qui veut traverser le territoire à passer devant un poste de contrôle militaire israélien. Une aberration économique, où quelques familles de colons, protégées par une base militaire, exploitent de vastes vergers au milieu d'un million de Palestiniens de Gaza qui étouffent sur une bande de terre sans eau de 40 kilomètres de long. Pour Gaza, sous autorité palestinienne, Netzarim reste le symbole de l'occupation israélienne, et d'un processus de paix qui piétine. Et c'est ici, aujourd'hui, qu'on meurt.

Ce n'est même pas un combat. Plutôt quelque chose qui ressemble a un ball-trap humain, où les manifestants seraient des disques d'argile qui se lancent eux-mêmes sur 50 mètres, à découvert, pendant que des tireurs invisibles cherchent à les arrêter d'une balle en plein vol. Voila un groupe d'adolescents qui se rue et la foule de plusieurs milliers de manifestants retient son souffle. .Atteindre le hangar, au carrefour, est une victoire; renoncer ou se faire toucher, un échec. À 600 mètres de là, masqués par !es vergers, il y a des blindés, des mitrailleuses, des barbelés et des miradors d'où des soldats israéliens guettent, l'oeil collé à leur lunette de précision.

Les premiers manifestants sont passés en trombe et la foule exulte; le dernier est plus lent et on l'encourage. Il approche enfin du hangar, ralentit et lève les bras, déjà vainqueur. Juste avant qu'une forte détonation, venue d'une tour minutaire, l'envoie bouler sur l'asphalte, la jambe broyée par une balle de mitrailleuse. Pour la vingtième fois de la journée, une ambulance palestinienne s'avance malgré le feu, jette un brancard et emporte le blessé. A côté de moi, un adolescent éclate en sanglots: à quoi sert tout ça? A rien. Ce sont toujours les nôtres qui meurent. Des armes! Donnez-nous des armes!»

a Trouvez les mots ou les expressions qui veulent dire:

1 everything which moves
2 in the range of fire
3 a military check point
4 a peace process which is dragging its feet
5 a game of human clay pigeon shooting
6 a bullet in full flight
7 the crowd holds its breath
8 where Israeli soldiers keep watch
9 hit by a machine gun bullet
10 a teenager breaks into sobs

b Corrigez ce qui est faux dans les phrases suivantes:

1 Mohammed al Durra a été tué par les soldats palestiniens.
2 Netzarim se trouve au sud de la bande de Gaza.
3 Les soldats israéliens ont quitté la région.
4 C'est un territoire aride où rien ne pousse.
5 Il y a un lac de 40 kilomètres de long.
6 Le processus de paix fait de bons progrès.
7 Les tireurs ajustent seulement sur les oiseaux.
8 Les soldats ne font pas attention aux passants.
9 Le dernier manifestant hésite avant d'atteindre sain et sauf le hangar.

18 Travail à deux

Les informations à la télévision – est-ce qu'elles contiennent trop de violence? En considérant ce thème vous parlez avec un(e) ami(e). Il / elle préférerait regarder seulement les bonnes nouvelles tandis que vous, vous pensez qu'il est important d'être informé(e) sur tout ce qui passe dans le monde. Continuez le débat.
(Votre partenaire doit regarder la page 99 exercice 23 pour trouver sa réponse.)

19 Dissertation

«L'inhumanité de l'homme envers l'homme – voilà le vrai problème de la société.» Qu'en pensez-vous? Écrivez une dissertation (250 mots).

20 Quand la télé fait son boulot

- Quel rôle les médias jouent-ils dans les affaires internationales?
- Quel pouvoir les journalistes exercent-ils?
- Quel est leur vrai métier? Quelles sont leurs responsabilités?

Comment peut-on savoir la vérité?
Lisez le texte ci-dessous.

Quand la télé fait son boulot

Comme beaucoup de tâches artisanales, le travail des journalistes se remarque surtout quand il est mal fait. Or on n'entend pas, depuis le début des bombardements au Kosovo, de philippiques contre le «lavage de cerveau» médiatique, l'illusion de l'image et les tromperies de l'information spectacle. Les procureurs habituels de la télévision sont muets; le silence remplace les réquisitoires. Disons-le donc, au risque d'être accusés de solidarité corporative: le travail des médias audiovisuels dans ce conflit a jusqu'à présent été exemplaire. Les leçons de la guerre du Golfe (1990) ont été tirées: point de robinet à images sans signification, de commentaire péremptoires, de généraux en retraite, de spéculations hasardeuses dans le style militaro-tonitruant qu'on affectionnait il y a quelques années. Au contraire beaucoup de prudence, de doute, de distance à l'égard des sources et de volonté d'équilibre dans l'interprétation. Le comptage des réfugiés est précautionneux, la mise en question des discours officiels, permanente, le croisement des informations systématique. Le service publique fait assaut de sobriété, ainsi qu'une chaîne privée comme TF1, naguère unique objet de ressentiment des médiaphobes. On ne s'étendra pas sur ce satisfecit: on ne va pas crier au miracle parce que les journalistes font leur travail. Mais enfin constatons que le système médiatique peut s'amender: voilà qui contredit certains préjugés ...

a Liez les phrases pour donner le sens du passage:

1. Quand les journalistes font bien leur travail ...
2. On ne parle pas de ...
3. Les questions ont été remplacées par ...
4. On a beaucoup appris pendant ...
5. Aujourd'hui les reportages ont ...
6. L'auteur du passage croit que ...

a   ... on ne dit rien.
b   ... une interprétation équilibrée.
c   ... beaucoup de gens se plaignent.
d   ... le silence.
e   ... oubliées.
f   ... la situation s'est améliorée au cours des années.
g   ... les décennies avant la guerre du Golfe.
h   ... le problème va s'agrandir.
i   ... la manipulation d'information.
j   ... la guerre du Golfe.

21 Les informations

Ecoutez et répondez aux questions suivantes en anglais:

Inde
1. What has the Indian government decided to do?
2. Why?

Afghanistan
1. What was the outcome of the attack in the North?
2. What happened in the province of Kundiuz?

Algérie
1. Give the total number of casualties on the Tuesday?
2. Who is thought to be behind the violence?

Arabie Saoudite
1. By whom have the two people been arrested?
2. What has happened since November?

Birmanie
1. What precisely has happened to members of the democratic opposition?
2. What honour has their leader received?

22 Violence à Netzarim

Ecoutez la cassette et choisissez les mots qui conviennent:

1 Le petit garçon parle avec sa soeur / sa mère / un médecin.
2 Jamal est le père / la mère / le frère du petit garçon.
3 Talal Abu-Rama est manifestant / journaliste / soldat.
4 Vers midi tout reste silencieux / les attaques commencent / on compte une dizaine de morts.
5 Talal Abu-Rama avait été blessé quelques mois avant / plusieurs années avant / le lendemain.
6 Les balles caoutchoutées ne font pas mal / peuvent tuer des gens / sont détestées par les combattants.
7 Talal recense 54 / 85 / 45 blessés.
8 Des coups de feu viennent d'une rue tout près / d'un bâtiment à côté / d'une voiture.
9 Le journaliste reste caché derrière le minibus pendant 75 / 90 / 15 minutes.
10 Le petit garçon a une balle dans le bras / dans le cou / dans la jambe.

23 Travail à deux

Voir page 97, exercice 18.

Est-ce qu'il y a trop de violence dans les informations à la télévision?

En considérant ce thème vous parlez avec un(e) ami(e). Vous êtes d'avis qu'il n'est pas du tout nécessaire de montrer tant de sang, de combats, de violence. Vous préféreriez regarder les bonnes nouvelles, pas seulement les tragédies. Continuez le débat.

24 Problèmes humains

**Des réfugiés en Albanie
Ecoutez la cassette et remplissez les blancs:**

Entre ... (1) ... et ... (2) ... Kosovars seraient déjà arrivés en Albanie, 100 000 autres seraient en ... (3) ... 30 000 seraient aussi parvenus au Monténégro. Et entre ... (4) ... et ... (5) ... réfugiés se dirigeraient actuellement vers la Macédoine, où 20 000 Kosovars ont déjà trouvé ... (6) ... . Depuis le départ des ... (7) ... de l'OSCE puis l'expulsion des ... (8) ... , les sources d'information sur ce qui se produit actuellement au Kosovo manquent de ... (9) ... . Mais les témoignages des exilés sont concordants. Ils sont en outre confirmés par le porte-parole de l' ... (10) ... : les forces armées serbes, les services de la police spéciale, sans doute avec l'assistance de groupes paramilitaires, ont à peine attendu la première frappe ... (11) ... pour se lancer dans un nouveau nettoyage ... (12) ... de grande ampleur. Les stratèges de l'Otan ne pouvaient sérieusement ignorer ce risque d'engrenage, que tout laissait prévoir dès avant le déclenchement de l'opération. Car à sa façon le président ... (13) ... avait clairement signifié qu'un bombardement de son pays le libérerait aussitôt de toute retenue morale ou ... (14) ... .

25 Dissertation

Quelles sont les responsabilités des médias en ce qui concerne les problèmes humains internationaux?

Examen

Les droits de l'homme

«*L'enfer, c'est les autres.*»

JEAN-PAUL SARTRE

**Un journaliste parle d'un stage effrayant.
Torture: ce que j'ai vu en Algérie**

Stratégie

Before attempting a listening test such as this it is a good idea to scrutinise the questions and use them to build up a picture of what the passage is about and to think of possible answers so that you are listening for more specific information when the tape plays. In this passage, for example, the title tells us that the speaker was on some kind of course, and the first question mentions torture. Could the course be about torture? If so, what kind of profession might the speaker have had? Journalist? Military? Other? Before listening to the tape go through the remaining questions and draw as much information from them as you can.

a **Ecoutez le journaliste et répondez aux questions suivantes en anglais:**
1. What was the speaker's job when he first encountered torture? (1)
2. Which institution did he attend? (1)
3. Why, ostensibly, was he sent to the town near Oran? (3)
4. Who first broached the idea of torture? (2)
5. What was the audience's response? (1)
6. What action did the speaker take after the «lesson»? (2)
7. What action did he and others threaten? (2)
8. What was the colonel's reaction? (2)

(14 points)

La torture des enfants déshonore l'humanité

Lisez l'article ci-dessous.

Pendant la guerre civile en Sierra Leone un grand nombre de garçons et de filles, certains âgés de cinq ans à peine, ont été recrutés comme enfants soldats. La plupart des enfants servant dans les forces rebelles étaient enlevés de leur domicile et forcés de se battre, de tuer, de mutiler et de violer, souvent sous l'influence de drogues, d'alcool ou simplement par peur.

La guerre est une réalité quotidienne pour des millions d'enfants. Certains n'ont jamais connu d'autre vie. Alors que les enfants blessés lors d'un conflit armé ne sont souvent que d'innocents spectateurs, certains sont visés par les forces de sécurité et les groupes armés d'opposition comme tribut ou pour provoquer des blessures dans leurs communautés mutuelles.

Certains sont choisis pour subir des abus sexuels. De jeunes hommes sont souvent arrêtés sur la simple présomption qu'ils participent aux activités de groupes d'opposition ou qu'ils en sont sympathisants. Beaucoup d'enfants sont torturés ou tués simplement parce qu'ils vivent dans une «zone ennemie» ou en raison de leur origine politique, religieuse ou ethnique.

En Afrique, les conflits armés ont obligé plus de 20 millions de personnes à fuir leurs maisons.

Stratégie

Always look at the number of marks given for each particular question. Tailor your answers accordingly. If two marks are available you need to include two pieces of information, and so on. If you include more information than the question requires you may lose marks, particularly of you supply information which is not in the text.

a **Répondez aux questions suivantes en anglais:**
1. What is the youngest age at which child soldiers have been recruited? (1)
2. What part do drugs play in their lives? (2)
3. Why are innocent children sometimes picked out by the armed forces? (2)
4. Why might young men be singled out? (2)
5. What is the scale of the refugee problem in Africa? (2)

(9 points)

3 Enfances irakiennes

Lisez cet article paru dans *Elle*:

La génération de l'embargo – la génération perdue

Trois soeurs serrées les unes contre les autres. Demoi, Zeman et Hijran ont 12, 10 et 6 ans. Il y a six mois à peine, on les a trouvées seules, crasseuses et affolées, errant dans une rue de Bagdad. Aujourd'hui, ces fillettes qui évoquent une portée de chatons font partie de la petite centaine de pensionnaires du centre Dar Al Rahma, «la maison de la miséricorde». Ce grand bâtiment, situé dans un no man's land sordide à la périphérie de la capitale irakienne, est leur nouvelle maison. Hijran, la plus petite, fixe ses pieds. Difficile de trouver un regard aussi désespéré chez un enfant de 6 ans. A son arrivée dans le centre, la gamine malade ne parlait pas. Aujourd'hui encore, elle s'exprime difficilement. Qu'ont donc vécu ces trois soeurs avant leur arrivée ici?

Le semblant de passé qu'ils ont pu retracer ressemble à celui de tous les autres pensionnaires: un père absent, un grand frère disparu, une mère aveugle, pas d'argent à la maison. Ces fillettes abandonnées vivront désormais entre le dortoir, le réfectoire, le salon où la télévision débite des versets du Coran, et l'école. Enfermées dans ce centre triste mais impeccablement tenu, elles apprendront à lire, à écrire et à coudre.

Elles savent une chose: elles sont mieux ici que dans la maison de correction qui jouxte le centre. Une sorte de prison pour mineurs, entourée de barbelés et dans laquelle, selon différents témoignages, des enfants sales et malades mangent d'aussi rares qu'infâmes bouillies dans des gamelles à même le sol. Avant l'ouverture du centre, il y a deux ans, c'est là qu'étaient conduits les enfants des rues. Le phénomène, difficilement chiffrable mais dont l'ampleur effraie, est nouveau; et c'est l'un des sujets les plus tabous du moment.

«Avant, en Irak, la famille était la structure de base de la société, une base très solide, comme dans tous les pays arabes», explique Moussa Khalfoun, responsable des programmes pour Enfants du Monde-Droits de l'Homme, l'association qui, avec l'aide de l'Unicef et du ministère des Affaires sociales irakien, gère ce centre. Dix ans d'embargo sont passés par là. Dix longues années de sanctions économiques décidées par l'ONU à la suite de la guerre du Golfe, qui asphyxient chaque jour un peu plus cette société, naguère l'une des plus développées des pays arabes.

«L'embargo a non seulement fait régresser le pays de plusieurs dizaines d'années, mais il a aussi ébranlé en profondeur les structures de la société», analyse Moussa Khalfoun. «Les sanctions et les difficultés quotidiennes qui en résultent ont usé les gens, au point de détruire la solidarité familiale. Aujourd'hui, en Irak, chacun essaie de sauver sa peau. Les enfants réfugiés dans ce centre, comme tous ceux que l'on voit travailler dans les rues, sont les premières victimes de cette logique de survie. C'est la génération de l'embargo.» ■

4 Vrai ou faux?

Stratégie

With «true / false» questions it is very important to read the questions very carefully as the differences between the text and the questions are sometime very subtle, leading you to think that a statement is true when in fact it says something very slightly different from the passage.

Watch out, also, for things which are expressed as verbs in the passage being expressed as nouns in the questions and vice versa (see question 6).

1 Les trois filles ont été trouvées il y a un an.
2 Les filles ressemblent à de petits animaux.
3 En arrivant au centre la plus petite fille restait muette.
4 Ici les filles peuvent regarder les émissions étrangères à la télévision
5 Le centre est sale.
6 Les filles apprennent la lecture, l'écriture et la cuisine.
7 C'est mieux ici qu'en prison.
8 Le centre est géré par Unicef et l'ONU.
9 Selon Moussa Khalfoun les sanctions sont responsables des difficultés familiales.
10 Les enfants sont les vraies victimes de l'embargo.

(10 points)

5 La capitale mondiale du viol

Lisez cet article paru dans _Marie-Claire_.

L'Afrique du Sud est devenue la capitale mondiale du viol. Il y a deux ans 49 280 cas sont déclarés à la police. Selon l'estimation la plus faible – qui veut qu'une personne violée sur vingt porter plainte – on arrive à près d'un million de viols par an ... . Dans la région de Johannesburg, une adolescente sur trois aurait été victime de viol ou de violence sexuelle. Les agresseurs ne sont pas des monstres venus de l'espace; à 60%, il s'agirait de proches de voisins. Les pires atrocités se produisent lors de viols collectifs, qui font souvent partie d'un rituel d'introduction dans les gangs de criminels.

Pourquoi une telle cruauté ? Cette question qui hante toutes les victimes a fait l'objet de kilomètres de rapports. On a démontré l'existence d'une «culture de la violence sexuelle» si forte qu'elle devient la norme. Dans une récente étude sur le viol 12% des jeunes femmes interrogées ignorent qu'il est illégal. Beaucoup d'adolescents pensent qu'une fille «veut dire oui quand elle dit non». A quoi fait écho le slogan d'une association antiviol: «C'est quoi dans NON que tu ne comprends pas?»

Dans cette société patriarcale, les hommes pensent avoir sexuellement tous les droits. Certains s'autorisent à punir celle qui les quitte en la «livrant à des amis ...» L'alcoolisme n'arrange pas les choses, et avec un chômage à 30 % – 8O % dans certains endroits - le viol devient aussi une distraction ... . Il est difficile de s'arrêter à une raison, mais le poids du passé pèse lourd, souligne Erma Labuschagni, criminologue et psychologue, qui interroge des violeurs depuis des années. Avec l'apartheid, les familles ont explosé: Ie père envoyé à la mine, la mère chez les Blancs, les enfants livrés à eux-mêmes, boycottant l'école ... . Aujourd'hui, la famille est en miettes, personne pour inculper des valeurs comme le respect de la femme.

Stratégie

Many candidates lose marks in this type of task because they write either too few or too many words. Select only those words which convey the exact equivalent of the phrases given. Don't be tempted to add anything either at the beginning or end of the phrases.

Le saviez-vous?

SOS femmes Acceuil
Voil en France: les chiffres
Au moins 25.000 cas de viols en France chaque année. Un peu plus de 8.000 seulement sont recensés «officiellement».

- Age des victimes au moment de l'agression
  Adultes (>18) = 32,7%
  Ados (15-18) = 11,9%
  Enfants (<15) = 45,9%
  Inconnu = 9,5%

- Sexe des victimes
  Sexe féminin: 91,2%
  Sexe masculin: 8,8%

L'âge moyen et l'apparence extérieure ne sont en aucune façon des facteurs déterminants dans le choix par l'agresseur de ses victimes.

- Et les agresseurs?
  Personnes mises en cause
  Hommes: 96,3%
  Femmes: 3,7%

Les études montrent que la plupart des agressions sont préméditées, une réalité qui vient invalider le fait que le viol correspondrait à une "pulsion irrépressible et incontrôlable".

---

a Trouvez dans le passage les mots ou les expressions qui ont le même sens que les phrases suivantes:
  1 According to the lowest estimates
  2 one out of twenty women who have been raped
  3 monsters from space
  4 the worst atrocities are produced
  5 it is becoming the norm
  6 what is it about «no» that you do not understand?
  7 this patriarchal society
  8 it is difficult to pinpoint a reason
  9 the family is in tatters   _(9 points)_

b En utilisant le passage ci-dessus écrivez en français:
  1 according to the highest estimates
  2 one out of ten victims
  3 the worst atrocities happen in the cities
  4 it became the norm many years ago
  5 a matriarchal society
  6 the traditional institutions are in tatters   _(6 points)_

6 Dissertation

Pendant tous les conflits humains ce sont les femmes et les enfants qui souffrent le plus. Qu'en pensez-vous? Ecrivez une dissertation (250 mots). _Contenu: 10 points_
Qualité de la langue: 10 points
Total: 20 points

Extra

1 La religion

«Si Dieu n'existait pas il serait nécessaire de l'inventer.»
VOLTAIRE

«C'est le coeur qui connaît Dieu, pas la raison.«
PASCAL

«Dieu est mort.»
NIETZSCHE

«La religion, c'est l'opium d'un peuple.«
KARL MARX

«Dans l'absence de toute autre preuve mon pouce me persuaderait que Dieu existait.»
Isaac Newton

«Le pire moment pour un athée c'est le moment où il veut rendre grâce mais ne sait pas à qu'il peut le faire.»
Rosetti

Lisez ce que disent ces six personnes au sujet de leur religion.

Moi je suis musulman. Ma famille vient d'Algérie et je trouve important de suivre les traditions et les habitudes de mon peuple. J'ai appris la langue arabe afin de pouvoir lire le Coran dans la langue originelle. Ça, c'est très important pour les Musulmans. Nous sommes obligés de découvrir ce qu'Allah veut nous dire - Il a un message pour toute l'humanité.

Djamal

Il y a tant de mal dans ce monde. Voilà pourquoi je ne crois pas en Dieu. S'il y a un Dieu pourquoi tant d'enfants meurent-ils de faim? Pourquoi tant d'adultes meurent – ils de cancer ou du sida? Pourquoi tant de tremblements de terre ou d'inondations?

Jean-Nicolas

Moi je ne crois pas en Dieu. Je crois que la religion, c'est l'affaire des pauvres, des malades, des gens qui ont besoin de croire en un être surhumain parce qu'ils ont une vie pleine de misère, de douleur. Dans notre société cela n'est plus nécessaire. Les gens ont créé Dieu, pas vice versa. Mais je crois que chacun de nous a son propre destin et je lis régulièrement mon horoscope pour trouver ce qui va se passer dans ma vie.

Corinne

On n'a jamais trouvé le corps de Jésus, et on n'a jamais pu expliqué ses miracles. Pour cette raison je suis chrétienne. Je suis persuadée que Dieu existe et qu'il aime toutes ses créatures.

Dominique

Comme adolescent j'étais athée. Selon moi Dieu n'existait pas. La science m'avait donné toutes les explications nécessaires pour l'origine de l'univers. L'humanité n'avait plus besoin des anciennes superstitions. Mais à l'âge de vingt ans j'ai beaucoup discuté de ce sujet avec d'autres étudiants et j'étais persuadé que Dieu existait et que sans lui la vie n'avait aucune signification. Alors je suis devenu chrétien.

Philippe

Je suis très fière d'être juive quand je me souviens de ce que mes aïeux ont souffert pendant l'époque du national-socialisme, et à d'autres époques au fil des siècles. Si Dieu n'existe pas, qui a créé l'univers et pourquoi?

Claire

2 Débat

Est-ce que Dieu a créé l'homme ou l'homme a-t-il créé Dieu? Ecrivez une réponse à chacunes de ces personnes.

3 L'été à Taizé – l'accueil des jeunes

Lisez ce reportage sur la communauté de Taizé, fondée après la deuxième guerre mondiale pour promouvoir la paix et la réconciliation entre les nations.

L'été à Taizé – l'accueil des jeunes

Taizé est devenu un lieu où des centaines de milliers de jeunes de tous les continents vont prier et se préparer à être promoteurs de paix, de réconciliation, de confiance entre les humains.

Depuis 1957-1958, les jeunes accueillis à Taizé sont de plus en plus nombreux. Du Portugal ou de Suède, d'Ecosse ou de Pologne, et aussi des autres continents, ils participent à des rencontres d'une semaine, centrées sur la recherche des sources de la foi.

Le nombre des jeunes de l'est de l'Europe à Taizé s'est progressivement accru; il est devenu très grand avec l'ouverture des frontières en 1989. C'est que, depuis le début des années 1960 et pendant toute la durée de la division de l'Europe, la communauté de Taizé a entretenu des relations suivies, souvent dans la plus grande discrétion, avec jeunes et moins jeunes de l'est de l'Europe.

Les visages de multiples origines humaines manifestent aussi un considérable élargissement intercontinental. Chaque semaine, les rencontres réunissent des jeunes de 35 à 70 nations à la fois, du Mexique au Japon, du Zaïre à l'Inde, de Haïti à l'Afrique du Sud.

Sans compter les pèlerins qui, jour après jour, passent quelques heures à Taizé, ces rencontres intercontinentales rassemblent en été 3.000 à 5.000 jeunes par semaine, 500 à 1.000 au printemps et en automne.

Avec les années, des centaines de milliers de jeunes se sont succédés à Taizé autour d'un thème central: vie intérieure et solidarités humaines. Aux sources de la foi, ils cherchent à découvrir un sens à leur vie, et à reprendre élan. Pendant une semaine de prière et de partage avec des jeunes de tant de nations différentes, ils se préparent à prendre des responsabilités là où ils vivent.

La prière de chaque samedi soir est comme une veillée de Pâques, une fête de la lumière. Et le vendredi soir l'icône de la croix est placée au sol, chacun va poser son front sur le bois de la croix, déposant en Dieu ses propres fardeaux et ceux des autres, accompagnant ainsi le Ressuscité en agonie pour ceux qui connaissent l'épreuve.

a **Répondez aux questions suivantes en anglais:**
1 Why do young people go to Taizé?
2 What happened after 1989?
3 Describe the relationship which the community has with Eastern Europe.
4 How do the numbers of young visitors in the summer compare with the numbers in the spring and autumn?
5 In what ways do the visitors prepare themselves to face their responsibilities back home?
6 When a visitor places his / her forehead on the piece of wood what does this represent?

«Ce qui m'étonne», écrit un jeune médecin, «c'est de voir comment se rejoignent le silence et la radieuse joie de vivre. Dans le silence, c'est comme si tout le bruit du monde était mis de côté. Et même quand la prière commune ou les groupes de réflexion font résonner le foisonnement des langues, même dans les moments où Mexicains et Espagnols rivalisent de danses au son de la guitare, le silence demeure. Tout reste en paix, parce que tout est à sa place.»

Depuis plusieurs années, un grand effort est fait pour que des jeunes des différents continents puissent venir participer aux rencontres. Ils restent en général trois mois. Ils peuvent témoigner du dynamisme de leur vie d'Église à l'occasion des rencontres par thèmes ou dans le «forum» du samedi après-midi. Cette année, les Africains ont été spécialement nombreux. Ils faisaient souvent partager leur expérience. Ils ont animé chaque semaine un carrefour où leur accueil se manifestait par des danses et des chants, avant de s'exprimer en paroles.

Je suis né en 1941 à Paris, de parents chassés de Turquie par le conflit gréco-turc et qui trouvèrent un havre en France. Comme beaucoup d'immigrés juifs, ils lui vouèrent toujours une vive reconnaissance. Il reste que ces immigrés subirent en France les persécutions et les dangers qu'ils avaient fuis dans leurs pays d'origine. Ils y furent discriminés par les lois de Vichy, déportés vers les camps d'extermination nazis, d'où un tiers d'entre eux (76 000) ne revinrent jamais. De nombreux juifs durent leur salut au courage de non-juifs, des Justes, qui, au péril de leur vie, les ont soustraits aux griffes de la Gestapo assistée de la police française. Ancien «enfant caché» dans une famille protestante de Besançon, je rappelle ces faits pour mieux situer ma perception de juif de France aujourd'hui. Ma génération a conscience d'être très bien intégrée dans son pays, tant sur le plan citoyen que culturel, tout en sachant que cette situation est fragile. Depuis l'affaire Dreyfus jusqu'aux actuels développements au Moyen-Orient, nous éprouvons la versatilité de l'opinion française, malgré tous les gages de loyauté que nous lui prodiguons depuis des siècles.

Mais être juif en France aujourd'hui, par-delà ces aléas, c'est avant tout un extraordinaire bonheur et une chance qu'on ne peut pas sous-estimer. Nous avons la possibilité de vivre notre foi en toute liberté de dialoguer fraternellement avec les autres confessions, d'accéder à toutes les études et à tous les emplois. Nous avons la chance de vivre dans une démocratie respectueuse de toutes ses minorités.

Pour Daniel Farhi, Rabbin du mouvement juif libéral de France, être juif en France est «une chance».

a **Choisissez a, b, ou c selon l'extrait:**

1 Daniel's ancestors were
  a asylum seekers
  b dock workers
  c hunters

2 In France they
  a were free from persecution
  b met persecution
  c persecuted others

3 A third of French Jews
  a were killed by the Nazis
  b fought against the Nazis
  c were put on trial in Vichy

4 Daniel's ancestors were helped by
  a a secret supply of weapons
  b a Protestant family
  c a Gestapo informer

5 He now feels
  a well integrated into French society
  b part of a persecuted minority
  c pangs of guilt about the past

6 He has
  a many fears for the future
  b friendly relations with people of other faiths
  c bitter arguments with non-Jews

5 Etre juif en France, ça veut dire quoi?

Vous entendez Théo Klein, avocat. Pour lui être juif est son état naturel et quotidien.
En écoutant la cassette notez les expressions qui ont le même sens que les phrases suivantes:
1 which link me to my distant past
2 one of the key elements of my personality
3 not as long but just as rich
4 fruitful contact
5 in diverse ways
6 the pre-eminence of the idea of justice
7 a secular society
8 their share of the communal riches
9 the profound sadness of the stranger

6 Dissertation

La religion, quel rôle devrait-elle jouer dans la société moderne? Écrivez une dissertation (250 mots).

Chapitre 6: Le progrès en question

Pages	Thèmes	Grammaire	Compétences
107–109 Départ	Le progrès Les échecs de la science	Révision du subjonctif présent	Enrichir son vocabulaire
110–119 Progression	Manger bio La maladie de la vache folle Les OGM Le clonage L'avortement	Révision du subjonctif passé Révision du passif Le futur antérieur	Lire et faire des explications de textes Traduire en français Traduire en français à partir d'un texte Ecouter des statistiques Améliorer son oral Faire un résumé en français Mieux écouter Rédiger une dissertation
120–123 Examen	Le prion L'euthanasie		Examen blanc
124–125 Extra	Avances techniques dans les transports		

Départ

1 Le progrès, ça veut dire quoi?

Le progrès est omniprésent dans notre vie moderne. Ce progrès nous le considérons comme un acquis. La technologie moderne, en effet, permet à l'homme de faire des choses qu'il était impensable de réaliser auparavant.

a Ecoutez ces quatre personnes qui parlent du progrès et des avances techniques. Ecrivez les mots ou expressions utilisés pour traduire les expressions ci-dessous. Ecrivez aussi les articles et le genre des noms.

Exemple: problems → des problèmes (m)

1 embryos
2 to manipulate
3 to play God
4 genetic engineering
5 genes
6 fertilisation
7 test tube babies
8 surrogate mothers
9 human cloning
10 a computer program
11 a tool

b Réécoutez l'enregistrement et répondez aux questions suivantes en anglais.
1 What is Man trying to do?
2 In which case does the first woman agree with genetic engineering?
3 What is the problem encountered by children of surrogate mothers?
4 What does the third person think of human cloning?
5 What can the last man's daughter do?

Le saviez-vous?
Le 17 janvier 1975, la loi Veil légalisait l'avortement en France.

2 A deux! Et pour vous, le progrès, qu'est-ce que c'est?

Choisissez deux des choses mentionnées dans l'enregistrement et dites ce que vous en pensez.

Exemple: Je pense qu'on devrait pas faire d'expériences sur les embryos. Je ne crois pas les recherches génétiques puissent permettre de résoudre certain problèmes.

3 Progrès ou régression?

a Lisez les deux textes suivants et trouvez l'équivalent des mots suivants dans le texte.

1 abortion
2 a pregnancy
3 a right
4 euthanasia
5 to hasten
6 to cause
7 to provide
8 a dying person

Il est maintenant possible pour les médecins de terminer une grossesse. Le sujet de l'avortement produit des débats passionnés dans de nombreuses sociétés occidentales. Les uns sont influencés par le point de vue religieux que toute vie est sacrée. Tout naturellement, cela les conduit à penser que l'avortement est mal moralement. Les autres, à l'autre extrême, pensent que l'avortement est un droit qui appartient à la mère. Les modérés, quant à eux, estiment que l'avortement devrait être une prise de conscience et que les femmes ne devraient utiliser ce droit que si de bonnes raisons l'imposent.

La question de l'euthanasie divise aussi l'opinion publique. L'euthanasie permet de hâter ou de provoquer la mort souvent en ayant recours à la science. Il y a deux sortes d'euthanasie: l'euthanasie active et l'euthanasie passive. L'euthanasie active suppose le geste d'un tiers qui administre à un mourant une substance létale ou la lui fournit ou encore le tue par tous moyens. L'euthanasie passive est plutôt définie comme l'arrêt des traitements de réanimation, ou celui du traitement de la maladie fatale, à partir du moment où l'on est convaincu que le cas est désespéré.

Le saviez-vous?
Au regard du droit actuel et en l'absence de loi spécifique, l'euthanasie peut être qualifiée de meurtre ou d'omission de porter secours à personne en péril.

b Les phrases suivantes résument les deux textes précédents. Pour chacune d'elles, écrivez une question qui lui convient.
1 Les médecins peuvent mettre fin à une grossesse.
2 Certains pensent que l'avortement est un crime tandis que d'autres estiment que c'est à la mère de décider.
3 Pour les modérés, l'avortement est acceptable dans certains cas.
4 Il existe deux sortes d'euthanasie: l'euthanansie passive et l'euthanasie active.
5 Lorsque le cas du malade est désespéré certains docteurs préféreraient arrêter tout traitement.

Face aux nouveaux dangers que sont la maladie de la vache folle, les OGM ou le sang contaminé, certains pensent que la science a échoué.

a **Avant de lire le texte suivant, vérifiez le sens de ces mots dans le dictionnaire:**

forcené	l'étiquetage
le sang contaminé	résoudre
se contredire	déceler

Etiquetage et source des produits: sont-ils les seuls remèdes?

L'homme a entrepris la destruction systématique des grands systèmes naturels qui sont nécessaires à toute vie humaine: pollution généralisée de l'air, de la mer, des eaux douces, effet de serre, désertification, élimination des variétés vivantes, rupture des écosystèmes, etc. Ces atteintes à la biosphère sont le résultat de vandalisme plutôt que de progrès technoscientifique. La déforestation, par exemple, et contrairement aux pollutions radioactives, n'est pas une invention historique mais la conséquence de l'occupation forcenée de nouvelles terres cultivables, ou tout simplement de la consommation abusive de bois. Malgré leur absurdité, de telles actions humaines persistent tant qu'elles n'affectent pas directement les hommes d'aujourd'hui. En revanche, quand les êtres humains sont immédiatement menacés, on s'alarme. Il en est de même quand la santé est affectée, comme ce fut le cas avec le sang contaminé par des virus, comme elle l'est avec la transmission de prions par l'alimentation, ou comme elle risque de le devenir avec l'absorption de plantes transgéniques. Alors, les populations inquiètes exigent d'être rassurées.

Dernier épisode public: le boeuf anglais.

Les experts sont chargés de nous informer, peut-être de nous rassurer, mais, en tout cas, de nous faire part de leur savoir. Ils se réunissent, en France et en Europe, afin de dire ce qu'il en est. Catastrophe! Voilà qu'ils se contredisent, et parfois le même se contredit selon qu'il parle en France ou en Europe. Les politiques ne comprennent pas, eux qui pensaient que cette expertise serait l'unique moyen de décider d'une attitude scientifiquement justifiée. Des journalistes s'interrogent et expriment dans les médias le malaise des populations: «Comment se fait-il que des experts, pourtant tous réputés compétents, n'arrivent pas à se mettre d'accord?»

Les politiques replacent les experts dans leurs boîtes et annoncent des mesures absolument techniques, c'est-à-dire capables de faire illusion sur la défaite de la science: il faut exiger «l'étiquetage et la source» des viandes, du sang donné ou des OGM. Les autorités pensent que l'étiquetage et la source des produits aideront à mettre chacun devant ses «responsabilités». Le producteur et les circuits de distribution, bien sûr, mais aussi le consommateur qui ne pourra pas prétendre qu'on ne l'a pas prévenu. Faire les courses va

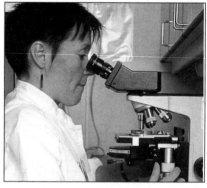

devenir de plus en plus difficile s'il faut lire chaque étiquette! Je crois qu'il s'agit là d'un moment important dans l'histoire des hommes. Après deux siècles de construction des certitudes, la science avoue qu'elle est impuissante.

L'étiquetage et la source sont les nouveaux outils de l'homme.

Nous avons résolu la plupart des vérités simples, celles qui sont identifiables par une seule cause. Il nous reste à résoudre la complexité, qu'elle soit naturelle ou construite par nous-mêmes. Admettons qu'on dispose bientôt d'un excellent moyen pour déceler la présence du prion dans la viande, permettant ainsi de résoudre ce drame (à condition de recourir aux bonnes pratiques d'élevage): alors l'expert ès prion redeviendra important et recommencera à nous conseiller.

Jacques Testart, directeur de recherches.

Glossaire

un prion	agent transmissible, non conventionnel (ATNC), cause présumée des cas de Creutzfeld-Jakob
Expert ès prion	terme sarcastique.(ès est utilisé dans l'expression «licencié ès lettres» = bachelor of arts)

Stratégie

Pyramide has given you advice and made suggestions on how to study a text intensively to help you make progress in building a wide vocabulary of terms.

- Remember: Vocabulary is the key to better grades.
- Get organised before the examination and revise the vocabulary already learnt.
- There is still time for vocabulary-building: try to read short texts on the topics studied. It is important to study and learn vocabulary in context.

b Travail de vocabulaire

1 Faites une liste des mots qui ressemblent à des mots anglais.

Exemple: *destruction*

2 Faites une liste des mots qui appartiennent à la même famille que des mots que vous connaissez.

Exemple: *naturels*

3 S'il reste des mots qui ne figurent pas dans l'exercice ci-dessus et dont vous ne connaissez pas le sens, cherchez-les dans un dictionnaire.

Exemple: *en revanche*

c Relisez le texte ci-dessus et essayez d'exprimer l'idée principale en français. Imaginez que votre partenaire n'a pas lu ce texte.

d Ecrivez un résumé en anglais de ce passage.

5 Les progrès de la science

Ecoutez Thierry qui vous parle des progrès de la science et remplissez le texte à trous.

Aller sur la ... (1) ... , voir ce qu'il y a sur ... (2) ... (et peut-être une vie extra-terrestre!), avoir des ... (3) ... de transports modernes (la voiture, le ... (4) ... , l'avion) , trouver de nouveaux ... (5) ... et soigner plus de monde c'est bien !! ... mais il faut ... (6) ... car ces progrès ... (7) ... provoquent des dégâts. La pollution (les gaz des voitures, les ... (8) ... provoquent des maladies, le trou dans la ... (9) ... d'ozone), les ... (10) ... scientifiques dangereuses (bombes, le ... (11) ...) nous montrent que la science n'est pas toujours bien contrôlée. Il faut que les progrès servent à rendre le monde meilleur.

Grammaire (Rappel!)

The present subjunctive

The present subjunctive must be used with certain verbs and expressions:

- with certain expressions of necessity, possibility and impossibility: e.g. *il faut que*
- with verbs expressing wishes or emotions: when you want, wish, prefer or hope for someone else to do something: e.g. *vouloir que*
- after certain conjunctions: e.g. *bien que*
- with **penser**, **croire** and **dire** in questions or negative sentences.
- after certain expressions with **qui**.

For more detail see p.145, grammar section.

Example: Il faut que les progrès servent à rendre le monde meilleur = *Les progrès doivent rendre le monde meilleur.*

Exercice 1

Traduisez ces phrases en français:

1 Man must realise that the world is in danger.(Il faut que ...)
2 French people are afraid that the mad cow disease will spread and they need to be reassured.
3 Politicians want the French to know that they do what they can.
4 I do not think that abortion is legalised in Ireland.
5 Whether you want it or not, abortion can be considered like a crime.
6 I am not sure that I know anyone who is against abortion.

6 Points de vue

Un magazine de jeunes organise un concours dont le thème est: «Le progrès de la science constitue-t-il un progrès pour l'humanité?» Vous décidez d'y participer et vous écrivez une lettre (150 mots) dans l'espoir de gagner.
Voici quelques idées qui pourront vous aider ...

opinions

Il ne faut pas que
Il est important que
Je ne pense pas que
Je pense que
Je crois que
On n'a pas le droit
Cependant / néanmoins

les progrès de la science

les recherches génétiques
les bébés éprouvettes
les mères porteuses
le clonage humain
les progrès de la médecine
pas de grossesse non désirée

progrès/régression pour l'humanité

résoudre certains problèmes
guérir certaines maladies graves
traitement de certains problèmes:
comme l'infertilité
se prendre pour Dieu
la vie est sacrée
avortement = crime

Progression

Crise de la vache folle en Angleterre, épidémie de listériose en France, alerte à la dioxine en Belgique, peur des OGM: la question de la sécurité et du confort alimentaires est au coeur des préoccupations des Européens. Consommateurs et producteurs se tournent donc vers les produits «bio».

a   **Lisez le texte ci-dessous.**

Le label AB a été créé par le ministère de l'Agriculture français: l'appellation «bio» est réservée à certains produits et à deux types de garanties: 70% «bio» et 95% «bio».

Manger bio: une question de culture

De nos jours, avec 30% de croissance annuelle en Europe, l'agriculture biologique a définitivement perdu son statut marginal: rien qu'en France, où 600 agriculteurs par an prennent la décision de passer au «bio», ce secteur représentait 4 milliards de francs de chiffre d'affaires en 1999. Consommer bio n'est plus un snobisme ou une nostalgie soixante-huitarde mais un sujet qui concerne tout le monde. Pas de hasard: l'explosion du marché date de 1994-1995 et a coïncidé avec la crise de la vache folle. En 1997, par exemple, les Français se sont rués sur les poulets bio, faisant exploser le marché avec une croissance de plus de 130 % sur l'année. Il existe aujourd'hui 6 200 agriculteurs bio en France, liés par un label officiel «AB» et soumis aux contrôles réguliers et obligatoires de quatre organismes agréés. Longtemps, l'idée d'agriculture biologique a été liée à une philosophie. Son précurseur, le penseur allemand Rudolf Steiner, dénonçait de façon visionnaire dans les années 20 les dangers de l'agriculture intensive, même s'il le faisait au nom de théories sur le magnétisme terrestre et l'influence des astres qui peuvent faire sourire. Aujourd'hui, le souci très simple de préserver sa santé s'impose à tous,

depuis qu'il est avéré, par exemple, que les nitrates introduits dans l'organisme (où ils se transforment en nitrites) provoquent, à long terme, des cancers.

- Pourquoi consommer bio? Parce qu'un produit bio s'efforce d'éliminer de sa composition tous les apports artificiels. La viande bio est issue d'animaux qui, en dehors des vaccins obligatoires, n'ont été soignés que par phytothérapie et jamais avec des antibiotiques, qui n'ont mangé que des aliments naturels sans aucun recours aux techniques de forçage (hormones de croissance, farines animales, etc.).
- Les légumes bio, eux, sont cultivés sans pesticides, sur des terres fertilisées par des engrais organiques ou minéraux entièrement naturels, et labourées conformément aux strates naturelles des terrains.
- Mais ces garanties ont leur prix: Les produits bio sont en moyenne de 10 à 30 % plus chers que les produits ordinaires. Une étude de l'hebdomadaire La Vie révélait pourtant dès 1997, que 67 % des Français étaient prêts à payer 25 % de plus pour garantir leur santé.
Mais manger bio suffit-il ? Il faut le savoir: aucune étude sérieuse

ne permet encore de répondre à cette question. La pollution, celle de l'eau notamment, et celle de l'atmosphère, les touche comme les autres!

Alors, le bio, une arnaque? Pas du tout. L'effet des OGM sur l'organisme, par exemple, est l'objet d'inquiétudes légitimes; la viande aux hormones inspire une méfiance fondée, tout comme certains conservateurs chimiques. Derrière l'agriculture bio, il y a une prise de conscience éthique: dans les pays du nord de l'Europe comme la Suède ou le Danemark, consommer bio passe depuis longtemps pour un comportement civique. Il s'agit de n'acheter que des produits issus d'exploitations qui respectent l'environnement, veillent à préserver les nappes phréatiques, sauvegardent la variété des paysages.
L'agriculture bio, qui demande plus de main-d'oeuvre, est aussi une source d'emplois, et un moyen de lutter contre le dépeuplement des campagnes. Rien qu'en France, la filière bio représente un vivier potentiel de 300 000 emplois dans les dix années à venir. Pour des raisons de coût, jamais les produits bio ne pourront se substituer entièrement à l'agriculture industrielle.

Le saviez-vous?

Début du XXe siècle: apparition des premiers mouvements d'agriculture biologique en Allemagne, Suisse et Grande-Bretagne.

L'agriculture biologique: c'est une agriculture où les producteurs veulent réagir contre le développement croissant d'une agriculture intensive, mécanisée et qui utilise des fertilisants, pesticides et autres hormones et qui industrialise l'élevage des animaux.

Stratégie

Remember: Extensive reading is the foundation of all your language work.

When you tackle a reading comprehension, especially under examination conditions, you should:

1 Look at the number of questions and spend an equal amount of time on each of them.
2 Read the passage continuously to get an overall view. Do not be in a hurry to answer the questions.
3 Study the questions carefully and pay attention to every word. Sometimes questions contain clues.
4 Reading comprehensions are designed to assess your ability to express your understanding and not a translation.
5 Do not omit any relevant information and be precise.
6 a If the questions are in French: remember to use your own words and be as accurate as possible.
   b If the questions are in English: good English is important.

b **Répondez aux questions suivantes en français, en utilisant vos propres mots.**

1 Que veut dire l'expression «statut marginal» dans le texte?
2 Quels sont les avantages des produits bio?
3 Y a-t-il des inconvénients?
4 L'auteur de l'article se réfère à plusieurs crises alimentaires. Quelles sont-elles?

5 Dans les pays du nord de l'Europe, à quoi est liée l'alimentation biologique?

c **Traduisez ce passage en Français:**

Nowadays, eating organic food is a subject that concerns everyone. The market really took off in 1994-95, as a result of the outbreak of mad cow disease. Organic meat comes from animals which, apart from their compulsory vaccinations, have never been treated with antibiotics and have only eaten natural food-stuffs. Organic vegetables are grown without pesticides, in fields enriched by natural organic or mineral fertilisers. Organic farming requires more labour, and thus generates employment. Over the next ten years, a movement towards a kind of farming that respects the environment is inevitable.

d **Vérifiez à l'aide de la cassette.**

Stratégie

When translating into French, remember the following points:

• Before you begin your translation, it is important to read the whole passage.
• It is important to finish your translation well before the time you are required to hand it in so that you allow time to go through it meticulously.
• Avoid basic mistakes by having a check list of the most common mistakes: verb endings; irregular verbs; genders; prepositions following a verb; agreements of adjectives and past participles and tick the mistakes as you check your work.
• Be precise and do not add anything to the meaning. Do not paraphrase.

If your translation is connected with a stimulus passage:

• Read the stimulus passage slowly and thoroughly: some of the vocabulary needed will be in the passage.
• You must understand the passage thoroughly in order to avoid borrowing the wrong term.
• If the passage contains a phrase that can be reused, you will need to adapt it to fit in your translation.
• At the end, always read your translation and the stimulus passage once more.

2 Mangez-vous bio?

A deux: parlez de la nourriture que vous mangez et des effets de cette nourriture sur la santé.

Phrases et expressions utiles:

Je mange bio parce que ...

Je ne fais pas attention à ce que ...

Pas aussi bon que

Beaucoup trop cher

Je ne mange plus de ...

Les effets des pesticides et engrais chimiques sur ...

3 Attention! Vache folle!

La vache folle

La vache folle est devenue la vache folle
parce qu'il y a bien longtemps,
les moutons, eux, avaient la maladie du mouton fou.
Alors, les anglais ont abattu les moutons et,
avec la viande du mouton,
on a fait des aliments pour vaches.
Comme il restait des microbes
et que les vaches se disent bonjour en s'embrassant,
elles se donnaient les microbes.
Et voilà l'histoire de la vache folle.

Liez les questions à leurs réponses:

1 Qu'est-ce que l'ESB?

2 Quand l'ESB fut-elle observée pour la première fois?

3 Quelle est la cause de l'épidémie?

4 Pourquoi a-t-on introduit des farines animales dans l'alimentation des bovins?

5 Qu'est-ce que la maladie de Creutzfeld-Jakob?

6 Combien de personnes ont déjà été touchées par la maladie de CJ?

7 Y a-t-il un lien entre l'ESB et la nouvelle forme de la maladie de CJ?

8 Quelles mesures ont été prises quant à l'utilisation des farines animales?

9 Certains modes de préparation culinaires peuvent-ils détruire le prion?

10 Comment le consommateur peut-il mieux se protéger?

a Les producteurs d'aliments pour bétail ont utilisé la farine à partir de la viande et des os provenant des déchets d'abattoirs, pour enrichir la nourriture du bétail.

b L'ESB ou maladie de la vache folle se manifeste par une lente dégénérescence du système nerveux.

c Il est difficile de connaître avec certitude le nombre de cas de Creutzfeldt-Jakob car l'autopsie est la seule manière de poser un diagnostic certain.

d Non! L'agent responsable de l'ESB n'est détruit par aucun mode de préparation culinaire.

e Bien que les autorités aient pris un grand nombre de mesures pour maîtriser la maladie, le consommateur doit, lui-aussi, être vigilant et ne pas courir de risques inutiles en consommant certains produits à base de viande.

f La «maladie de la vache folle» a entraîné des modifications dans la chaîne de production des farines animales utilisant des déchets d'abattoirs.

g Le premier cas d'ESB eut lieu en avril 1985.

h Tous les éléments plaident pour un lien entre les deux maladies.

i Il s'agit d'une maladie très rare, toujours mortelle, entraînant chez l'homme une dégénérescence du cerveau. L'utilisation à grande échelle de carcasses de bovins dans la fabrication de farines animales ont entraîné la diffusion de la maladie.

Grammaire (Rappel!)

The perfect subjunctif

The perfect subjunctive is used according to the same circumstances as the present subjunctive, but when the event expressed by the verb in the subjunctive is considered to have happened before that of the main verb. This follows what is known as the «sequence of tenses».

It is formed by using the present subjunctive of the auxiliary verb (**avoir** or **être**) and the past participle. The normal rules of agreement in the perfect tense apply.

Example: Bien que les autorités aient pris un grand nombre de mesures pour maîtriser la maladie, le consommateur doit, lui-aussi, être vigilant.

Exercice 1

Mettez les verbes entre parenthèses au temps du subjunctif qui vous est demandé.

1 Bien que ce fermier ne (pouvoir – présent) encore parler de «maladie de la vache folle» dans son troupeau il a bien peur qu'elle (être – présent) présente.
2 Cette vache était la plus belle qu"il jamais (voir – passé).
3 C'est la seule mesure que le gouvernement (imposer – passé).
4 Monsieur Martin est fâché que les autorités (décider – passé) d'abattre son cheptel.
5 Tout le monde craint que les mesures ne (être – présent) pas suffisantes pour enrayer la crise.
6 Il est dommage qu'il (prendre – passé) cette décision.
7 Il se peut qu'on lui (dire – présent) de les faire analyser.
8 Le gouvernement ne s'attendait pas à ce qu'il le (faire – présent).

4 Etable rase

Elizabeth Chartier, 40 ans, est éleveuse. Son troupeau a été abattu après qu'une vache eut contracté l'encéphalite spongiforme. Ecoutez son interview et remplissez les blancs du résumé ci-dessous.

Les ... (1) ... sont parties de l'exploitation ... (2) ... , dans des camions scellés et escortés par les gendarmes qui ont aussi pris les ... (3) ... de deux à trois jours. Un vrai ... (4) ... . Il y avait des gendarmes partout comme s'ils avaient commis le plus gros ... (5) ... du monde ... . Maintenant Elizabeth est devenue ... (6) ... et elle a pris 20 kilos. Ses parents, avant elle, étaient agriculteurs et avec son compagnon elle exploite la ferme des parents de celui-ci. Au début, tout allait très bien ... . Et puis en octobre 1997, son ami ... (7) ... qu'une vache donnait des coups de ... (8) ... , qu'elle avait moins de lait, qu'elle tombait quand le troupeau passait à côté d'elle. Elizabeth et son compagnon ont tout de suite pensé à la ... (9) ... de la vache folle. Ils ont appelé le vétérinaire qui ne voulait pas y croire. S'ils avaient été ... (10) ... , la vache ... (11) ... très bien ... (12) ... partir à ... (13) ... et personne ... (14) ... rien ... (15) ... . Mais ils ont décidé d'appeler un spécialiste de l'ESB et la vache a été euthanasiée. Des fragments de son ... (16) ... ont été envoyés au Centre d'études alimentaires de Lyon.
A partir de là, les évènements se précipitent. Des représentants des services vétérinaires sont venus leur donner les résultats des ... (17) ... et leur dire qu'il fallait abattre tous

5 Le boycott

Beaucoup de gens n'ont plus confiance dans la nourriture que nous mangeons et ne mangent plus de boeuf. A deux, discutez de ce qui se passe dans votre famille. Avez-vous décidé de ne plus manger de boeuf? Donnez vos raisons.

6 Informez-vous!

En faisant des recherches sur l'Internet et en vous servant de votre travail précédent vous rédigerez une brochure sur la maladie de la vache folle.
Voici quelques expressions utiles:
Utilisation des carcasses de bovins
Utilisation de farines animales dans l'alimentation
Existe dans les os et produits dérivés du boeuf comme la gélatine
Dégénérescence du cerveau
Perte d'équilibre
Abattre les vaches malades / le troupeau

L'élevage de vaches laitières en pâturage.

les animaux. Ils se sont retrouvés seuls dans l'exploitation vide. Ils regardaient par la fenêtre pour voir si quelqu'un allait venir les voir ... . Des voisins ... personne ... . Aucun technicien de la maison d'aliments à qui ils achetaient les ... (18) ... . Elizabeth veut un coupable. On les a tellement assassinés publiquement. Elle veut qu'on lui ... (19) ... pourquoi on n'accuse jamais les maisons ... (20) ... et elle veut que la coopérative agricole de la Sarthe soit condamnée. Ils ont racheté des vaches mais ils font ce qu'il faut sans plus, le coeur n'y est plus ...

7 Sondage 🔊

Les OGM sont aussi une des préoccupations alimentaires des Français.

Ecoutez et répondez aux questions.

a **Trouvez dans le passage le mot ou l'expression qui correspond à chacun des mots ou expressions suivants:**
1 a survey
2 unavoidable
3 would trust
4 comes out

b **Ecrivez les informations nécessaires en français ou en chiffres selon la question.**
1 la date de publication du sondage
2 le pourcentage de Français inquiets de la présence d'OGM dans l'alimentation
3 le pourcentage de ceux qui pensent que le contrôle est impossible
4 le pourcentage de ceux qui voudraient qu'il y ait une inscription sur ces produits
5 le pourcentage de ceux qui estiment que l'alimentation a empiré
6 ce que les femmes pensent

Stratégie

Be careful! In listening exercises, the expression «pour cent» is often heard as «personnes».

8 Pour ou contre les OGM?

a **Lisez les points de vue exprimés ci-dessous et ci-contre. Lesquels sont en faveur des OGM et lesquels sont contre?**

• L'industrie de la génétique menace notre écosystème. (Porte-parole de Greenpeace)

• L'amélioration génétique des récoltes permet d'avoir une source d'alimentation abondante et saine, et protège notre environnement pour les générations à venir.
(P.D.G chez Monsanto, un des géants occidentaux de l'agroalimentaire)

• Avec les OGM, la nature n'est plus la maîtresse de notre planète! (Volontaire des Amis de la Terre)

• Les OGM envahissent la campagne – Responsables en flagrant délit. (Titre de Paris Match)

• Des manifestants contre les OGM viennent de détruire un champ de colza dont la prochaine floraison menaçait de contaminer l'environnement. (Journaliste à France Ouest)

• Les semences d'OGM sont une solution à nos problèmes financiers. (Gilles Orlando, agriculteur)

• Il faudrait que les contrôles soient plus stricts et avoir recours à un étiquetage plus rigoureux de manière à savoir ce que l'on mange.
(Maurice Martin, habitant de la Rochelle)

b **Lesquels de ces points de vue sont en faveur des OGM et lesquels sont contre.**

c **Lisez cet extrait de lettre, paru dans un journal régional.**

D'un autre côté, le gouvernement britannique reste bien silencieux et semble ne pouvoir décider ni dans un sens ni dans l'autre. Alors que dire? Eh bien, moi je pense qu'on a besoin de tests en Europe.

Deuxième point: d'un point de vue strictement économique, je serais plutôt «contre», puisqu'étant agriculteurs, nous serions en passe de devenir totalement dépendants des gros industriels. Mais, car il y a un mais ... . Si les Américains sont autorisés à utiliser cette biotechnologie pour produire des produits aussi bons et moins chers que chez nous, ils vont inonder le marché mondial à des prix moindres. Et, ce n'est pas juste!!!
Alors, pour le moment, nous voulons:
• Plus de recherche scientifique, illustrée par des récoltes-tests.
• Plus de contrôles.
• Et une halte à l'importation en Europe des OGM américains.

d **Répondez aux questions suivantes en français en utilisant le plus possible vos propres mots.**
1 Que fait le gouvernement britannique?
2 Que pense l'auteur de l'article?
3 Quel est son métier?
4 Y aurait-il un inconvénient à ce que les Américains puissent produire des produits aussi bons et moins chers? Si oui, lequel?
5 Que réclame l'auteur pour le moment?

9 Débat

a **Ecoutez ce groupe de jeunes Français débattre des OGM et regardez les commentaires de l'exercice 8a. Quel commentaire correspond le mieux à chaque personne?**

b **Réécoutez l'enregistrement et écrivez:**
1 Les mots employés qui rendent la conversation plus naturelle. Si vous en connaissez d'autres, écrivez-les.
2 Les expressions utiles pour exprimer une opinion, comparer and contraster, porter un jugement. Si vous en connaissez d'autres, écrivez-les.
3 Y a-t-il des idiomes?

c **Discussion: pour ou contre les OGM**
Participez à une discussion en vous inspirant du matériel que vous avez rencontré jusqu'à présent. Voici quelques expressions utiles:
c'est à chacun de choisir
étiquetage des produits
le transfert de gènes
résister à certains parasites
bouleverser la nature: le climat, les saisons …
c'est dommage
bon pour les fermiers: perte d'argent pour certains fermiers
nouvelles découvertes scientifiques

Stratégie

When speaking in French, accuracy, fluency and range are important but do not forget pronunciation and intonation. Remember the following points:
- By listening to French native speakers on the radio or tapes, you will learn some of these phrases which make a conversation sound more natural:

  alors …   c'est à dire que …
  bon …   euh …
  moi, ce que je pense c'est que …   vous savez …
- If your pronunciation is good, the examiner is more likely to forget those «silly» mistakes:
1 do not sound a consonant at the end of a word unless it is followed by an **e**: **port** and **porte**
2 work on the sounds **u** and **ou**: **pull** and **poule**
  on and **en**: **dont** and **dent**

3 do not forget your liaisons: *ils^étaient*
4 try to make you **r's** sound more French.
5 try to practice by listening to pre-recorded material and recording the same material. Listen to the two versions.
- Your spoken French must be accurate. You are free to use colloquial language but remember to address the examiner as «vous» and do not use slang. However, to be avoided are: tenses, verbs, genders, prepositions and pronouns mistakes.
- The best marks will be awarded to candidates who can demonstrate their linguistic range of vocabulary and structures: make comparisons and contrasts, express their opinion and pass on judgements, use idiomatic expressions.
- Do not answer with brief and simple answers but elaborate on points.
- Add an alternative point or a personal opinion. Try to take the initiative and develop the conversation.

Le saviez-vous?

Aujourd'hui les OGM autorisés (maïs, colza, soja) ne sont pas directement consommables en tant que tels. En revanche, on peut consommer les produits dérivés de ces OGM sous la forme d'aliments:
- à base de maïs: farine, semoule
- à base de soja: huile, tofu, crèmes desserts
- à base de colza: huile

Grammaire (Rappel!)

The passive
> **Il faut que les produits soient étiquetés**: this sentence is in the passive.
> The passive is formed with **être** (in the correct tense) + the past participle.
> Do not forget to make the past participle agree with the subject.
> For more details, see p.143, grammar section.

Exercice 1
Translate these sentences into French:
1 It is in 1986 that the first case of «mad cow disease» was found in England.
2 In 1991, in France, the decision is taken to destroy the cattle if an animal has the disease.
3 The government announced on Saturday that 46 hectares of soya will be destroyed.
4 Farmers must not be authorised to grow genetically modified plants.
5 Consumers are reminded all the time about the dangers of genetically modified food.

10 Le clonage

Mais la génétique ne s'applique pas seulement aux plantes. La naissance de Dolly, la brebis clonée, a secoué l'opinion. Ainsi que les politiques. Le clonage humain fait peur ... . Le professeur Mattéi explique au *Télégramme* qu'il ne faut pas s'alarmer ...

a   Lisez l'interview du professeur Mattéi.

Le clonage de Dolly

Dolly représente selon vous un progrès scientifique considérable. Dans quels domaines?

«L'annonce du clonage de Dolly est un moment d'une importance majeure pour la biologie et la médecine. Cela va permettre de mieux comprendre les mécanismes du développement précoce de malformations et de maladies génétiques, voire de les prévenir et peut-être de les traiter. De même pour certains cancers embryonnaires.»

Pour l'agriculture, quelles peuvent être les avancées?

«Ce type de clonage vertical, qui consiste à aller prendre le patrimoine génétique d'un animal adulte pour le reproduire, va permettre de choisir en fonction des qualités particulières de viande, de laine, de lait ou autres ...
Aujourd'hui, des animaux transgéniques fabriquent des protéines humaines à effet médicamenteux, des animaux très difficiles à réaliser. Là, c'est extraordinaire vous en fabriquez un et vous le clonez. Avec une vingtaine de brebis transgéniques, vous pourrez répondre aux besoins des hémophiles d'Europe ... »

Le clonage utilisé sur l'espèce humaine fait peur. Partagez-vous ces craintes?

«La première réaction spontanée est, à mon avis, définitive: le clonage humain correspond à une éventualité insupportable et la seule idée de clonage humain suscite un sentiment de révolte et d'indignation. En un second temps, on se demande si cela correspond à une réalité, si c'est utile et si l'on est à l'abri.»

Alors, une réalité?

«L'idée du clonage humain est un contresens. S'il est vrai que l'on peut reproduire la morphologie, la silhouette, le visage, il est clair que l'on ne peut cloner la mémoire, les expériences vécues, et, encore moins, la conscience. Si on peut cloner un corps, on ne peut cloner l'esprit.»

Est-ce utile?

«Imaginez qu'un jour vous ayez un coeur ou un poumon en mauvais état. Vous faites décongeler votre clone qui vous fournirait «une pièce de rechange». C'est totalement absurde: entre le moment où vous prenez conscience de votre maladie et le temps que le clone grandisse pour que l'on puisse récupérer l'organe nécessaire, vous avez le temps de mourir 100 fois ...

Est-on vraiment à l'abri?

«Tout laisse à penser que la loi de bioéthique de 1994 est très largement suffisante pour nous mettre à l'abri du clonage humain. A la fois parce que le respect de la dignité de la personne est l'un des grands principes de la loi, or reproduire quelqu'un, c'est une atteinte à sa dignité. La loi interdit aussi toute modification de la descendance.»

Faut-il une nouvelle loi, comme certains politiques le souhaitent?

«Sûrement pas. Nous ne sommes pas menacés et l'on ne légifère jamais bien dans l'urgence. De plus, je ne crois pas qu'il soit bon de légiférer sur une technique car la science évolue en permanence. J'observe que les pays qui s'inquiètent - comme les USA et l'Italie - sont des pays qui réalisent aujourd'hui qu'ils ont eu tort ... »

Que faire dans ces conditions?

«En France, je n'ai jamais rencontré quelqu'un qui défende le clonage humain. C'est ailleurs que la France a un rôle à jouer. La France est le pays de la Déclaration des Droits de l'Homme, écrite au lendemain de La Révolution de 1789. Nous sommes en train de vivre une autre révolution et d'une révolution à l'autre, il serait bon de compléter la Déclaration au regard des nouveaux dangers que peut faire courir la science. Il faudrait aller plus loin. Pourquoi pas jusqu'aux Nations-Unies pour y faire adopter une Charte des Droits de la Vie?»

b **Les mots suivants figurent dans le texte précédent. Liez ces mots à leur définition.**

1 brebis   **a** faire des lois
2 prévenir   **b** erreur de choix
3 transgéniques   **c** personnes dont le sang ne peut coaguler.
4 hémophiles
5 craintes   **d** empêcher par ses précautions
6 contresens   **e** femelle du mouton
7 légiférer   **f** sentiment de peur
    g qui a eu une caractéristique héréditaire modifiée

c **Répondez aux questions suivantes en français en utilisant vos propres mots.**

1 Selon le professeur Mattéi, pourquoi est-ce que le clonage de Dolly est un moment important dans l'histoire de la médecine?
2 Que pense-t-il du clonage humain?
3 Pourquoi pense-t-il que le clonage humain soit une erreur?
4 Pourquoi est-ce que l'idée de faire décongeler son clone est une idée absurde?
5 D'après le professeur Mattéi, est-ce qu'il y a en France beaucoup de gens qui sont en faveur du clonage humain?

d **Résumez maintenant l'article en anglais.**

11 A l'écoute d'Axel Kahn

Axel Kahn est généticien et directeur de recherches à l'Inserm. Il est aussi l'auteur de plusieurs livres dont «La médecine au XXI siècle».

a **Ecoutez l'interview, réalisée par le journal *Le Figaro*, dans laquelle il parle du clonage thérapeutique.**

b **Trouvez les expressions suivantes dans l'enregistrement:**

1 cloning should not exist
2 it would be vital
3 organ donations
4 organs are always needed
5 its uniqueness
6 to be different from other people

c **Répondez aux questions en français.**

1 Que vient-on de permettre en Grande-Bretagne?
2 Pourquoi est-ce qu'Axel Kahn n'est pas étonné de cette décision?
3 Quels sont les dangers dont parle Axel Kahn?
4 Quels autres pays, à part l'Angleterre, autorisent la création d'embryons pour la recherche?

5 Pourquoi est-ce que certaines personnes pensent qu'un embryon obtenu par clonage n'est pas humain?
6 Que faudra-t-il pour faire un embryon cloné?
7 Pourquoi Axel Kahn s'inquiète-t-il de ce phénomène?
8 Quelles maladies pourront être un jour soignées par le clonage thérapeutique?
9 Qu'est-ce qu'Axel Kahn réclame à la fin de l'interview?

Stratégie

When preparing for the listening examination, remember the following points:

- Regular practice is important: plenty of varied listening practice.
- Practise note-taking and summarising.

During the examination:

- Do not panic if you miss words. You don't need to understand everything clearly.
- During the first listening, try to have an overall understanding of the passage.
- Read the questions carefully and underline key words.
- Your answers must be relevant but detailed enough.

12 Pour ou contre le clonage humain?

Traduisez le passage suivant en français.

I am against cloning. I think that cloning, in particular human cloning, should not be allowed. Some people might say that it provides a valuable source of transplant organs. Such organs are constantly needed and are not always found on time. But, I think that for people who can't have children, adoption is the better choice. There are so many abandoned children on the planet. Why not give them a chance to live in good conditions? We have no right to create people and tell them what to do. Besides, human cloning would take away the most important characteristic of a human being, its uniqueness, the only thing which allows us to be different from each other. There are other aspects which should be considered like the overpopulation of the planet and the scarcity of resources. Why try and create perfection when we know that it does not exist?

Les conditions effrayantes des enfants de la rue de la Colombie.

13 L'avortement

Le clonage et les OGM ne sont pas les seules avances technologiques qui préoccupent les Français. Le 17 janvier 1975, la loi Veil, qui légalise l'avortement en France était adoptée par l'Assemblée nationale. Elle mettait ainsi fin à des années de combat acharné de femmes déterminées à faire respecter leur droit: celui de disposer de leur corps.

Le saviez-vous?

- Simone Veil était ministre de la santé dans le gouvernement Giscard d'Estaing.
- Elle a rencontré beaucoup d'opposition:
  - le Vatican
  - l'Ordre des médecins
  - les autres membres de son parti politique.
- La loi Veil de 1975 sur l'avortement va être réformée. Elle prévoit l'allongement du délai légal de l'IVG de 10 à 12 semaines et la suppression de l'autorisation parentale pour les mineures qui prendraient des «risques graves» en parlant à leur famille.

En France, 220.000 IVG sont encore pratiquées chaque année.

- Le projet de loi révisera également la loi Neuwirth sur la contraception, en supprimant l'obligation d'autorisation parentale pour l'accès des mineures à tous les contraceptifs hormonaux. A l'heure actuelle, seuls les médecins des centres de planning familial peuvent prescrire une contraception à une mineure sans autorisation parentale.
- Quant à la prescription du «Noriévo» – la dernière née des «pilules du lendemain» – par les infirmières scolaires, elle vient d'être jugée illégale par le Conseil d'Etat.

a   Lisez ce que pensent ces personnes:

A

On n'a pas le droit de sacrifier la vie d'une future mère ou d'un enfant qui serait malheureux. Le fœtus n'a ni système nerveux ni conscience, ce n'est pas un être humain à part entière. Il vaut mieux supprimer un fœtus que d'avoir un enfant malheureux, privé d'amour et dont on ne s'occupe pas.

B

Qu'on le veuille ou non, c'est un crime. Moi je pense que si on se fait avorter on commet un meurtre. On sacrifie une nouvelle vie à la facilité. Une femme n'a pas le droit de disposer de la vie de son enfant. Le fœtus est un être humain et tout être humain a le droit de vivre. On n'a pas le droit de décider pour l'enfant s'il doit vivre ou non.

C

Comment peut-on obliger une femme à consacrer sa vie à un enfant qu'elle ne désire pas? De plus, les femmes devraient pouvoir disposer de leur corps. Donner la vie doit être un choix et non pas une obligation.

D

L'IVG, d'accord mais seulement dans certains cas: la femme enceinte se retrouve seule, elle est trop âgée, elle a déjà une famille nombreuse, l'enfant a une malformation, la femme enceinte a été violée ... dans ces cas oui.

E

L'avortement est toujours traumatisant et comporte toujours un certain risque. Il est aussi plus difficile d'avoir d'autres enfants après s'être fait avorter.

b   Lesquels de ces points de vue sont en faveur de l'avortement et lesquels sont contre.

14 Témoignages

a   Ecoutez le premier témoignage qui suit et remplissez ce texte à trous.

Texte A

Quand elle était ... (1) ... de 5 mois, ma mère fut très malade et le médecin la fit transporter à l'hôpital. Il lui .... (2) ... très vite de ...(3)... . Sa maladie pouvait, en effet, entraîner des risques de ... (4) ... .
Mais mes parents, étant très ... (5) ..., n'acceptèrent pas et décidèrent ... (6) ... cet enfant même s'il était ... (7) ... . Ils demandèrent à une religieuse de prier pour l'enfant qui allait naître. Celle-ci accepta mais mourut un peu avant que je ... (8) ... . Je n'ai aucune malformation! Mon seul ... (9) ... est que je n'aie pas pu connaître la personne à qui je dois sans doute la vie.

b   Maintenant écoutez le deuxième témoignage et remplissez le texte à trous sur la page 119.

Texte B

J'avais toujours rêvé d'être mère: pour moi, une vie sans enfant me paraissait … (1) … . Cependant, j'ai eu mon premier fils de façon très … (2) … voire … (3) … et même … (4) … … (5) … le 14 juillet, menacée par un homme qui ne respectait pas les femmes. Je n'avais que 17 ans et je ne connaissais rien de la vie. Deux mois plus tard, je me rendais compte que j'étais … (6) … . Après avoir bien … (7) … et après avoir passé bien des nuits sans dormir, j'ai décidé de …(8) … de ce bébé que je ne voulais pas en … (9) … .

15 Dissertation

Avorter, c'est mettre fin à la vie d'un être humain. C'est donc un acte de mort. Discutez.

Avant de commencer votre dissertation, vous vous reporterez au travail que vous avez fait précédemment. Vous lirez aussi attentivement les conseils qui vous sont donnés sur cette page.

Stratégie

Essay Writing

In the practice of essay writing:
1 You should be able to make a coherent argument in which you express an opinion supported by reasons, and leading to a conclusion. An awareness of alternative viewpoints is an important part of an argument, and you must show an awareness of this.
2 You should try to add colour and variety to your writing. This means you should avoid repetition, and find ways of expression that involve the use of different words and different tenses (not just past, present and future). Try to use synonyms and conjunctions that require the use of the subjunctive etc. …
3 You should remember that the conclusion is very important: do not summarise what you have written previously but only mention briefly the main points in order to bring out the main point you wish to make. It should open out the discussion or provide an answer to a question which you have raised previously.
4 You should also remember that accuracy is of the utmost importance. There can be no excuse for basic errors of grammar, syntax or spelling. Careful checking should help to avoid these.

16 Que nous réserve l'avenir?

En 2020 on aura peut-être trouvé un traitement contre le cancer. On aura fini de parler des problèmes de chômage et on aura envoyé un homme sur Mars.

Grammaire

The future perfect

The future perfect is used to describe what will have happened by a certain time or date.

Example: D'ici l'année 2010 j'aurai fini mes études.
By 2010 I will have finished my studies.
Je pense qu'il sera rentré d'ici 8 heures ce soir.
I think that he will have come back by 8 o'clock this evening.

It is also used (instead of the perfect or present in English) after **quan**d, **lorsque**, **dès que**

Example: Téléphone-moi dès que tu seras arrivé.
Phone me as soon as you arrive / have arrived.

The future perfect tense is formed by adding the past participle to the future tense of **avoir** or **être**. The rules of agreement are the same as for the perfect tense.

Exercice 1

Mettez les verbes entre parenthèses au futur antérieur (futur perfect). N'oubliez pas d'accorder le participe passé s'il le faut.

Exemple: D'ici 8 ans elle … … (visiter) tous les pays de l'UE.
Elle aura visité

1 Dis-moi quand tu … … tes devoirs. (finir)
2 D'ici demain elle … … en France. (arriver)
3 Le temps que j'arrive ils … … . (partir)
4 D'ici l'année prochaine nous … … notre voiture. (vendre)
5 En 2004 je … … mon bac. (passer)
6 Nous espérons que d'ici 2030 la maladie de la vache folle … … de tuer. (finir)

Examen

1 Le prion

a   Lisez le texte:

Le prion franchit la barrière des espèces

Selon une étude anglaise faite sur des souris, poulets, cochons ou moutons, ces animaux pourraient être contaminés par la maladie de la vache folle.

La maladie de la vache folle et sa variante humaine, la maladie de Creutzfeld-Jacob, suscitent une peur d'autant plus difficile à calmer qu'aucune certitude scientifique ne semble définitivement établie. Et les dernières révélations faites par les responsables du service spécialisé dans l'étude du prion à l'hôpital St.Mary de Londres ne vont pas changer cet état d'esprit.

Au contraire, alors que jusqu'à présent on pouvait se cacher derrière le rempart rassurant de la «barrière des espèces», ce dernier pourrait bien n'être qu'une illusion. C'est en tout cas ce que l'équipe du professeur Collinge a mis en lumière en effectuant une série de tests sur des hamsters et des souris. Une étude publiée cette semaine montre que des souris auxquelles on a injecté l'agent infectieux prélevé sur un hamster contaminé peuvent mourir à un âge avancé sans pour autant avoir montré de signes visibles de la maladie.

Contrôles renforcés

En revanche, il suffit de réinjecter des cellules de leur cerveau sur d'autres spécimens pour qu'ils meurent rapidement.

Le professeur affirme que d'autres animaux comme les moutons, les cochons ou les poulets, considérés comme étant naturellement protégés de la contamination mais qui auraient été nourris de farines animales, pourraient eux aussi être porteurs et surtout transmetteurs du prion mortel. Ce qui lui fait dire: «Je ne veux pas être alarmiste mais si nous pouvons vérifier cela pourquoi attendre?»

70 morts

Un groupe d'experts doit se réunir et une commission d'enquête doit bientôt rendre ses conclusions. Mais, en attendant, de nouvelles craintes ressurgissent, en particulier sur la transmission de la variante de l'ESB chez l'homme. Des craintes dont se fait écho Frances Hall dont le fils est décédé de cette maladie.

«Nous avons toujours eu des inquiétudes sur le fait que l'ESB pouvait se développer chez l'animal sans symptôme. C'est la même chose pour un être humain. Il est donc important de rester vigilant, notamment en ce qui concerne les transfusions sanguines et toutes les mesures de précaution indispensables à respecter en cas d'opération.»

A ce propos, des consignes pour un respect strict de la stérilisation du matériel médical chirurgical et dentaire ont été renouvelées. Des précautions qui prennent tout leur sens quand on sait que la période d'incubation de la maladie peut se situer entre 20 et 40 ans. Un laps de temps tel que l'on pourrait assister, dans quelques années, à une multiplication des cas mortels. A ce jour, sur 79 malades recensés en Grande-Bretagne, 70 sont décédés, 9 subissant une lente et fatale agonie.

b **Répondez à ces questions en français en utilisant le plus possible vos propres mots.**

1 D'après l'article, pourquoi a-t-on toujours aussi peur de la maladie de la vache folle et de sa variante humaine? (2)

2 Qu'est-ce que l'équipe du professeur Collinge a mis en évidence? (3)

3 Que s'est-il passé lorsqu'on a injecté l'agent infectieux d'un hamster contaminé à des souris? (4)

4 D'après le professeur Collinge, les vaches sont -elles les seuls animaux qui peuvent être porteurs du prion? (3)

5 Quelles précautions supplémentaires doit-on prendre? (5)

6 Pourquoi y aura-t-il peut-être dans quelques années davantage de gens qui mourront de la maladie? (2)

7 Combien de personnes ont contracté la maladie en Angleterre? (1)

(20 points)

2 Interview

a **Ecoutez Jeanne Brugère-Picoux vous parler de l'étude faite en Angleterre. Jeanne est professeur de pathologie dans une école vétérinaire.**

b **Remplissez les blancs du passage ci-dessous qui est un résumé du passage que vous venez d'entendre.**

Cette étude démontre que la période d' ... (1) ... de la maladie de la vache folle peut dépasser l'espérance de vie et pose la question de la ... (2) ... aux prions. Certains sujets peuvent être infectés sans tomber malades et ... (3) ... d'une autre cause tandis que d'autres, ... (4) ... et plus sensibles, vont développer la maladie. Reste à savoir combien de facteurs (prédispositions génétiques, âge, dose infectante, voies d'inoculation ...) interviennent pour que la maladie ... (5) ... . Par ailleurs, l'étude le confirme: l'agent de l'ESB franchit facilement la barrière des espèces. Depuis 1990, il a atteint dans des conditions naturelles le chat (87 chats décédés au Royaume-Uni) et dans les conditions expérimentales le porc, le mouton ...

En France on a pris des mesures de ... (6) ... pour les ... (7) ... animales (exemptes de cadavres et d'autres matières à risque). Pour la consommation humaine, tous les ... (8) ... dits à risque spécifié sont éliminés chez les ruminants âgés de plus d'un an. Après la Suisse, la France pratique une surveillance de l'ESB dans les troupeaux bovins avec l'utilisation de tests. Enfin, le risque de transmission chez l'"homme par des instruments chirurgicaux ou des transfusions est pris en compte.

Par ailleurs, on pourrait orienter les recherches scientifiques sur les modes de ... (9) ... chez les ruminants dans des conditions naturelles et mieux étudier le phénomène de barrière des espèces par exemple en ... (10) ... des animaux destinés à l'élevage tels que le lapin.

(10 points)

c **Réécoutez la cassette et trouvez les synonymes des mots suivants:**

1 prouve

2 patient

3 mourront

4 en outre

5 a touché

6 contrôle

(6 points)

Total des exercices 1 et 2: 36 points

a Lisez l'article paru dans *le Nouvel Observateur*:

Trente morts sans ordonnance

Qui peut choisir d'arrêter la vie?
Homicides volontaires: c'est le chef d'accusation.
Par trente fois Christine Malevre,
infirmière à l'hôpital de Mantes-la-Jolie, a donné
la mort. Meurtres par compassion?
Suicides médicalement assistés? Jamais le débat
sur l'euthanasie n'avait connu en
France une si terrible actualité. Le professeur
Zittoun apporte ses réponses.

Le Nouvel Observateur:
Comment expliquez-vous qu'une infirmière ait pu prendre seule la décision d'aider des malades à mourir et d'abréger ainsi leur agonie?

Pr Robert Zittoun:
C'est à mes yeux un drame de la solitude face à un problème immense. L'angoissante question de l'euthanasie ne doit pas concerner seulement les médecins ou les infirmières.

N.Ob.:
L'infirmière de Mantes-la-Jolie aurait agi à la demande des familles ...

Pr R. Zittoun:
Mais il en est toujours ainsi. Les partisans de l'euthanasie et ceux, comme cette infirmière, qui passent à l'acte s'entourent de précautions c'est-à-dire demandent le consentement des familles et des patients eux-mêmes. Le consentement des familles sans que les patients en soient informés, c'est encore un problème supplémentaire. Est-il imaginable de pratiquer un acte d'euthanasie sur un malade qui n'est ni informé ni consentant? Dans certains pays, comme les Pays-Bas et les Etats-Unis, on accepte de répondre favorablement à la demande de délivrance d'agonisants parce qu'on estime qu'il n'y a pas d'autre issue à leur souffrance qu'un acte d'euthanasie actif ou ce qu'on appelle un acte de suicide assisté. Mais le problème moral reste entier.

N.Ob.:
Mais jusqu'où peut-on aller dans l'acharnement thérapeutique?

Pr R. Zittoun:
Lorsque nous avons commencé le développement de soins palliatifs en France, nous pensions que la première chose à faire pour répondre à la souffrance de personnes qui ont des maladies graves était de les soulager. Les soins palliatifs sont là pour aider les malades à ne pas souffrir. L'euthanasie est proposée d'autant plus facilement que les soins palliatifs sont insuffisamment développés. En France, un effort important a été accompli en matière de soins palliatifs depuis 1986 mais nous manquons cruellement d'unités d'hospitalisation entièrement consacrées aux soins palliatifs. Malheureusement, beaucoup de ces traitements n'apportent même pas une qualité de vie minimale. Ce sont ce que les Américains appellent des traitements «futiles» car ils sont coûteux et inutiles. Cela pose tout le problème de l'arrêt thérapeutique que l'on appelle parfois à tort «euthanasie passive». Il est, dans certains cas, préférable d'interrompre un traitement plutôt que de maintenir le malade dans un état de survie artificielle et douloureuse. Les médecins doivent en permanence savoir choisir entre les traitements qui doivent être poursuivis et ceux qui ne doivent pas l'être car ils sont inutiles. L'arrêt thérapeutique n'est donc en rien une forme d'euthanasie passive.

N.Ob.:
Vous préconisez au sein de l'hôpital le développement de «groupes de parole» afin de briser la solitude du personnel soignant face aux malades incurables ...

Pr R. Zittoun:
Il est absurde de demander à un médecin de prendre seul des décisions lourdes et définitives. C'est la pire des façons de prendre de telles décisions.

N.Ob.:
Etes-vous partisan de modifier la loi en matière d'euthanasie?

Pr R.Zittoun:
Absolument pas. L'euthanasie est considérée par la loi comme un homicide volontaire. Elle est donc condamnable. On peut cependant accorder certaines circonstances atténuantes à ce que les Anglo-Saxons appellent le *mercy killing*, le meurtre par compassion. Dans le cas de l'infirmière de Mantes-la-Jolie, le fait que l'hôpital l'ait laissée dans une telle solitude condamne l'institution. Il faut être attentif à toutes les paroles du malade, y compris les plus gênantes, mais encore faut-il y être préparé. Dans mon service, il y a souvent des demandes d'euthanasie. Il faut savoir les écouter et comprendre ce qu'il y a derrière. Les demandes d'euthanasie maintenues et réitérées, malgré toute l'aide que l'on peut apporter au malade, sont en fait très rares. Les demandes initiales sont le plus souvent des appels à l'aide.

b Trouvez dans le texte l'équivalent exact des expressions ci-dessous.
1 a tué
2 crimes
3 écourter leurs souffrances
4 ceux qui sont pour
5 l'accord donné par les proches
6 on consent à dire oui
7 cesser de prendre des médicaments

(7 points)

c Complétez les phrases ci-dessous en choisissant le mot qui convient dans chaque cas.
1 L'infirmière n'aurait pas (devoir / dû / due) prendre la décision d'aider les malades à mourir.
2 Il est inadmissible que les patients ne (soient / sont / aient) pas informés.
3 Dans certains pays, on exauce le voeu des mourants (qui / ce que / que) demandent à être (délivrés / délivrer / délivré) de leurs souffrances.
4 Les médecins ont recours à certains médicaments pour (prolonger /prolongé / prolongeaient) la vie des malades.
5 Les malades qui sont atteints de maladies incurables demandent souvent que les médecins (interrompre/interrompent/interrompissent) un traitement coûteux et inutile.
6 Il faudrait qu'il y (aient / ait / a) plus de soins palliatifs et que des groupes de parole soient (créés / créer / créée).
7 L'euthanasie active est (celui / laquelle / celle) que l'on appelle un acte de suicide assisté.
8 L'euthanasie passive consiste (de / à / d') arrêter le traitement des gens à l'agonie.
9 Il aurait fallu que l'hôpital de Mantes-la-Jolie ne (laisserait / ait laissé / laisse) pas l'infirmière (décidait / décider / décidé) seule.
10 Les patients qui demandent que l'on (met / mettons / mette) fin à leurs souffrances se ravisent souvent.

(13 points)
Total de l'exercice 3 : 20 points

4 Euthanasie maternelle

a Ecoutez ce bulletin d'information. Voici une liste de faits. Lesquels sont mentionnés dans l'enregistrement? Attention! Vous perdrez des points si vous avez plus de 6 faits.
1 La dame dont il est question est avocate.
2 Elle a 71 ans.
3 Elle a tué son fils dimanche soir.
4 Son fils était paralysé.
5 Elle a tué son fils parce qu'il souffrait.
6 Elle l'a tué en lui faisant boire un poison mortel.
7 Elle savait ce qu'elle faisait.
8 Après avoir commis le meurtre, elle a disparu.
9 Les policiers l'ont retrouvée, trois valises à la main.
10 Elle était habillée en noir.
11 Elle avait déjà essayé de tuer son fils.
12 Elle va être placée dans un centre psychiatrique.

(6 points)

b Ecoutez de nouveau l'enregistrement et répondez aux questions en français.
1 Où habitait la vieille dame? (1)
2 Quand s'est-elle rendue chez les avocats? (1)
3 Quel âge avait son fils? (1)
4 De quoi souffrait-il? (2)
5 Depuis quand en était-il atteint? (1)
6 Pourquoi n'était-il pas heureux dans son foyer d'accueil? (2)
7 Comment la vieille dame a-t-elle mis fin aux jours de son fils? (3)
8 Où la police a-t-elle découvert l'homme?(3)
9 Dans quel état était l'appartement? (2)
10 Pourquoi la vieille dame a-t-elle décidé de mettre fin aux jours de son fils? (3)

Compréhension: 19 points
Qualité de la langue: 5 points
Total: 24 points
Total de l'exercice 4: 30 points

5 Dissertation

Titre: Choisir de mourir. En avons-nous le droit?
Qu'en pensez-vous?
Ecrivez environ 300 mots sur ce sujet.

Contenu: 20 points
Qualité de la langue: 20 points
Total: 40 points

Extra

1 Vous avez dit progrès?

a   Lisez l'interview suivant.

Pyramide: Nous y voici enfin arrivé dans ce nouveau millénaire tant attendu. Est-ce que vous trouvez un changement? Et bien, peut-être … . Pour plusieurs un mal de tête d'avoir fêté un petit peu trop fort, mais en général hier ressemble étrangement à aujourd'hui …

Gérald: Maintenant que le pas est franchi, je me demande où sont toutes les visions que nous annonçaient les années 60? J'ai eu beau chercher ce matin et nulle part j'ai vu mon petit robot qui m'aurait préparé mon café … . Aucun engin spacial dans mon stationnement seulement ma vieille Escort qui elle n'a pas rajeuni avec le nouveau millénaire.

Natalie: Il y a 40 ans nous avions une vision vraiment des plus loufoques de l'an 2000. Mais à bien y regarder nous avons fait un pas de géant dans bien des domaines, tant sur le plan médical que dans l'informatique pour ne nommer que quelques uns des domaines qui ont progressé d'une manière stupéfiante.

Sophie: Qui aurait pu penser il n'y a pas longtemps que l'ordinateur personnel puisse se retrouver dans autant de foyers, avec la possibilité de communiquer avec le monde entier en quelque fractions de seconde. Et que dire de toutes les informations que cette invention nous permet de visualiser.

Monsieur Giraud: Les jouets de mon enfance en ont pris un coup quand je vois tout ce qui est à la portée de nos enfants. Les Sega, Nintendo et jeux sur ordinateur peuplent leur journée. Mais je ne regrette pas mon enfance car nous nous dépensions beaucoup physiquement et surtout faire un coin de rue à pied ne nous faisait pas peur …

Marie: Et que dire du domaine médical: des progrès immenses y ont été réalisés. Combien de maladies qui autrefois mortelles sont aujourd'hui de moindre mal. Beaucoup reste encore à faire … car il faut souligner que les attentes, les déceptions, les bouleversements et les paradoxes jalonnent l'histoire de ce progrès.

Vincent: Un grand problème fait partie du monde d'aujourd'hui … . Et avec tous ces nouveaux problèmes, la vache folle, les OGM etc. … je me demande comment on peut redéfinir les liens entre la science, la politique et les citoyens pour restaurer la confiance.

Marie-Anne: Peut être en 2100 notre descendance voyagera en engin spacial et que leurs petits robots leur prépareront leur café le matin. Qui sait …

b Complétez les phrases ci-dessous en choisissant le mot qui convient dans chaque cas.

1 Tout (ce qui / ce qu' / ce que) on nous avait annoncé ne s'est pas matérialisé. Toujours pas de robots.

2 Le domaine médical et le domaine informatique ont (progressé / progressés / progressées) de manière stupéfiante.

3 Il est maintenant possible (pour / d' / à) entrer en communication avec d'autres internautes du monde entier (selon / à cause / grâce) aux ordinateurs personnels.

4 Les enfants ont beaucoup (plus de / plus des / beaucoup de) choix qu'à mon époque avec tous ces jeux comme les Segas etc. ...

5 Du point de vue médical, on a réalisé d'énormes progrès. Malheureusement, les attentes, les déceptions, les bouleversements et les paradoxes (jalonne / jalonnons / jalonnent) l'histoire du progrès.

6 Je me demande aussi comment redéfinir les liens entre la science, la politique et les citoyens pour (restaurer / restauré / restaurant) la confiance.

7 Il se peut qu'en 2100 nos enfants (ait voyagé / voyagent / voyagerons) en engin spacial.

Le saviez-vous?

Des ascenseurs en ligne aux Etats-Unis

Déjà disponible sur les téléphones mobiles, Internet va bientôt prendre l'ascenseur. Otis, leader sur ce marché, installe désormais dans ses petites cabines des écrans interactifs, histoire de distraire un peu les usagers.

---

2 En route vers le troisième millénaire ...

Surfer sur le Web dans sa voiture, se déplacer dans un tram sans conducteur ou dans un bus à piles, ce ne sont pas des chimères mais les promesses des transports des prochaines années. Une véritable révolution se prépare dans les laboratoires des constructeurs automobiles. L'airbag, l'ABS et même le GPS appartiennent déjà au passé. Désormais, les ingénieurs et les techniciens n'ont plus qu'un seul mot à la bouche: l'automatisation. Les transports de demain se passeront de conducteur.

Ecoutez ces quatres personnes parler des transports de l'avenir et remplissez la grille en français.

modes de transport	fonctionnement	avantages

3 A vous!

Quelle est l'invention précédente qui vous tente le plus? Pourquoi? Parlez-en pendant une minute à votre partenaire.

4 Dissertation

En vous inspirant du travail que vous avez fait précédemment, rédigez une dissertation (250 mots) ayant pour titre:
Les progrès de la science ont créé un monde dans lequel il fait meilleur vivre. Discutez.

Grammaire

Nouns

Gender

In French, nouns are either masculine or feminine. Knowing the gender of a noun is mostly a matter of learning it along with each word. However, there are a few rules which can be applied generally and also a number of exceptions.

1 **Most nouns are either masculine or feminine:**
un homme   une femme

2 **Some nouns have masculine and feminine forms:**
un coiffeur   une coiffeuse

3 **Some nouns stay the same when refering to either gender:**
un élève   une élève

4 **Some nouns have only one gender for men and women:**
un professeur   une personne

5 **Some nouns have different meanings depending on their gender:**
un livre: a book   une livre: a pound

6 **Certain groups belong to different categories:**

Masculine endings	Feminine endings
days, months, seasons	continents
le vendredi, un été	une Europe solide
magnifique	most countries and rivers ending in e
languages	la Belgique, la Seine
le français	most fruit ending in e
most animals and trees	une pomme
un lapin, un sapin	most nouns ending with 2
most colours	consonnants + e
le bleu	la terre

The word endings can sometimes help you. **But be careful!** There are exceptions.

Masculine endings		Feminine endings	
- **acle:**	un obstacle	- **ace:**	la race
- **age:**	le nettoyage (not cage, image, page, plage)	- **ère:**	la misère (not caractère, mystère)
- **ège:**	un sacrilège	- **ance:**	la bienveillance
- **é:**	le thé	- **ée:**	la journée (not lycée, musée)
- **eau:**	un chapeau (not eau, peau)	- **ence:**	la patience (not silence)
- **ème:**	un problème (not crème)	- **eur:**	la peur (not bonheur, malheur, honneur)
- **isme:**	le fascisme	- **té, - tié:**	la volonté (not traité), la moitié
- **asme:**	l'enthousiasme	- **ion, - tion:**	la vision, la solution
- **ent:**	un évènement	- **esse:**	la paresse
- **oir:**	le pouvoir	- **ure:**	la culture

Plural

1 **Most nouns add an '-s' to the singular form (do not pronounce the '-s'):**
un clandestin: an illegal worker   les clandestins: the illegal workers

2 **Nouns which end in '-s', '-x' and '-z' remain the same in the plural:**
le prix: the price   les prix: prices

3 **Nouns which end in '-al' and '-ail' change their endings to '-aux' in the plural:**
un cheval: a horse   les chevaux: horses

4 **Nouns which end in '-eau' or '-eu' add an '-x' to the singular form:**
un cadeau: a present   des cadeaux: presents

5 **Most nouns which end in '-ou' add an '-s' to the singular form:**
N.B: the following nouns add an **'-x'** to the singular form.

un bijou	a jewel	des bijoux	jewellery
un caillou	a pebble	des cailloux	pebbles
un chou	a cabbage	des choux	cabbages
un genou	a knee	des genoux	knees
un hibou	an owl	des hiboux	owls
un joujou	a toy	des joujoux	toys
un pou	a louse	des poux	lice

6 The following common nouns have irregular plurals:

un festival	a festival	des festivals	festivals
un pneu	a tyre	des pneus	tyres
un détail	a detail	des détails	details
un œil	an eye	des yeux	eyes

Articles

▮ The definite article (le; la; l'; les)

These words usually translate as 'the' and need to be chosen according to the noun they accompany. However, a definite article is often required in French when 'the' is not needed in English.

For example:

1 Before abstract nouns or when nouns are used to generalize:
L'unification de l'Europe est une très bonne chose.
The unification of Europe is a very good thing.

2 Before names of continents, countries, regions and languages:
Ce sondage sur l'Europe révèle ce que pensent les Français.
This survey on Europe reveals what the French think.

N.B. No definite article with **'parler'** + language
Nous parlons français.　　　We speak French.

3 Before arts, sciences, sports, parts of the body, illnesses, substances, meals and drinks:
De plus en plus de Français pratiquent le surf des neiges.
More and more French people enjoy snowboarding.

4 Before titles:
Le président Chirac.　　　President Chirac.

▮ The indefinite article (une; une; des)

The singular (un, une) means 'a' (or an). The plural version (des) translate as 'some' or 'any'. However, in the plural, an indefinite article is needed in French when it is not needed in English.
Dans toutes les villes européennes, il y a des sans-abris.
There are homeless people in all European towns.

You do not need an indefinite article in the following circumstances:

1 With occupations:
Je suis professeur.　　　I am a teacher.

2 In negative sentences, 'un', 'une', 'des' is replaced by 'de', 'd':
Elle n'a pas de passeport.　　　She hasn't got a passport.

3 In the plural, if an adjective is placed before a noun, 'des' becomes 'de':
Il a visité de vieilles églises.　　He visited old churches.

▮ The partitive article (du; de la; de l',; des)

The partitive article means 'some' or 'any' (which are not always used in English) or, in other words, an unspecified quantity.
Il m'a fallu du temps pour faire régulariser mes papiers.
I needed time to have my identity papers sorted out.

Be careful: All of the above change to **'de'** in the following situations:

1 In expressions of quantity:
Il m'a fallu beaucoup de temps.
I needed a lot of time.
Il n'y a pas assez de main d'œuvre qualifiée.
There are not enough skilled workers.

2 In various set expressions such as:

couvert de	covered with
entouré de	surrounded by
plein de	full of
rempli de	filled with

Adjectives

Qualificative adjectives

Adjectives are used to describe something or someone.

1 Adjectives agree with the noun they describe.
Most adjectives add an '**-e**' (in the feminine):
Il est épuisé.   Elle est épuisée.

Most adjectives add an '**-s**' in the plural:
Il est intelligent.   Ils sont intelligents.

But note: Adjectives ending in '**-e**' do not add an extra '**-e**':
Il est bête.   Elle est bête.

Adjectives ending in '**-s**' or '**-x**' do not add an extra '**-s**' in the masculine plural:
Il est heureux.   Ils sont heureux.

Irregular adjective endings

1 Feminine
Adjectives ending in '**-s**' double the '**-s**':
gros ➜ grosse

Adjectives ending in '**-on**', '**-eil**', '**-en**' and '**-el**' double the consonant:
bon ➜ bonne   pareil ➜ pareille   ancien ➜ ancienne
nul ➜ nulle

Adjectives ending in '**-er**' end in '**-ère**':
dernier ➜ dernière

Adjectives ending in '**-x**' end in '**-se**':
jaloux ➜ jalouse
Exceptions: doux ➜ douce   faux ➜ fausse   vieux ➜ vieille
               roux ➜ rousse

Adjectives ending in '**-f**' end in '**-ve**':
sportif ➜ sportive

Adjectives ending in '**-et**' end in '**-ette**':
muet ➜ muette
Exceptions: complet ➜ complète   inquiet ➜ inquiète

These adjectives do not follow the rules above:

blanc ➜ blanche	public ➜ publique	grec ➜ grecque
rêveur ➜ rêveuse	frais ➜ fraîche	long ➜ longue

sec ➜ sèche

2 Masculine
In front of a masculine word beginning with a vowel or mute '**-h**', beau changes to 'bel', 'nouveau' to 'nouvel' and 'vieux' to 'vieil'.
un bel immeuble   un nouvel ami   un vieil homme

3 Masculine plural
'**-al**' becomes '**-aux**':
normal ➜ normaux
Exceptions: banal ➜ banals   final ➜ finals   fatal ➜ fatals

These adjectives are invariable (their ending stays the same):
marron   châtain   sympa

All compound colour adjectives are invariable:
bleu clair   bleu foncé

4 Generally speaking, adjectives follow the noun.
une coiffure extravagante

Many common adjectives (usually 1 or 2 syllables) come before the noun:
un bon film, une jolie fille, un gros chien

Note: Some adjectives have a different meaning according to their position.

ancien:	un ancien ami:	an ex friend
	une voiture ancienne:	an old car
brave:	un brave homme:	a good man
	un homme brave:	a brave man
cher:	mon cher ami:	my dear friend
	une robe chère:	an expensive dress
grand:	un grand homme:	a great man
	un homme grand:	a tall man
pauvre:	un pauvre homme:	an unfortunate man
	un homme pauvre:	a poor man
propre:	sa propre maison:	his own house
	une maison propre:	a clean house
seul:	un seul salaire:	an only salary
	une femme seule:	a woman on her own
vrai:	un vrai homme:	a real man
	une phrase vraie:	a true sentence

The comparative

English	French
more + adjective + than more intelligent than	plus + adjective + que plus intelligent que
adjective + er + than bigger than	plus + adjective + que plus gros que
less + adjective + than less simple than	moins + adjective + que moins simple que
as + adjective + as as tiring as	aussi + adjective + que aussi fatigant que

The superlative

English	French
the most + adjective the most tiring	le, la , les plus + adjective le, la, les plus fatigant(e)(s)(es)
adjective + est the simplest	le, la, les plus + adjective le, la, les plus simple(s)
the least + adjective the least simple	le, la, les moins + adjective le, la, les moins simple (s)

Be careful! Do not forget to make the adjective agree with the noun.
La journée la plus fatigante.

After a superlative adjective use de to express in:
The biggest building in the world.
Le bâtiment le plus grand du monde.

Irregular comparative and superlative

	Comparative	Superlative
bon	meilleur	le, la, les meilleur (e/s/es)
mauvais	pire	le, la, les pire(s)

Demonstrative adjectives

'Ce', 'cette', 'cet' and 'ces' are demonstrative adjectives. They are used to point something or someone out. Demonstrative adjectives agree with the gender and the number of the noun they relate to:

ce ➜ **cet** (before a vowel or a mute h) + masculine singular
cette + feminine singular
ces + masculine or feminine plural

ce garçon	this boy
cette fille	this girl
ces hommes	these men
ces femmes	these women
cet homme	this man

Indefinite adjectives

1 **'Chaque', 'plusieurs', 'quelque', 'tel' and 'tout' are indefinite adjectives.**
'Chaque' (each, every) is invariable.
Il prend son vélo chaque fois qu'il va en ville.
He takes his bike every time he goes into town.

2 **'Plusieurs' (several) is plural and is invariable.**
Plusieurs travailleurs clandestins ont été renvoyés dans leur pays d'origine.
Several illegal workers have been sent back to their native country.

3 **'Quelque' (some), 'quelques' (a few)**

Examples:
Elle a attendu les résultats avec quelque inquiétude.
She waited for the results with some anxiety.
Il a fêté son succès avec quelques amis.
He celebrated his success with a few friends.

4 **'Tel' (such), 'telle', 'tels', 'telles': agrees in gender and number with the noun it qualifies. It is usually preceded by 'un(e)' in the singular and by 'de' in the plural.**

Examples:
Avec un tel gouvernement.   With such a government.
Avec une telle loi.   With such a law.
Avec de tels principes il n'ira pas loin.
He won't go far with such principles.

5 **'Tout' (masc. sing.), 'toute' (fem. sing.), 'tous' (masc. plur.), 'toutes' (fem.plur.) = 'all', 'the whole': agrees in gender and number with the noun it qualifies. It is followed by the article.**

Examples:
Il y a eu des émeutes dans toute la ville.
There were riots all over the town.
Il a recyclé tous les journaux.
He has recycled all the papers.

Possessive adjectives

Possessive adjectives (my, your ...) agree with the object owned and not the owner.

	Masculine singular or feminine singular starting with h or a vowel	Feminine singular	Plural
my	mon	ma	mes
your	ton	ta	tes
his / her / its	son	sa	ses
our	notre	notre	nos
your	votre	votre	vos
their	leur	leur	leurs

Examples:

mon frère	my brother
ma sœur	my sister
mes parents	my parents
son ami	his / her friend
sa tante	his / her aunt

N.B: do not use possessive adjectives when referring to parts of the body.

Examples:

Elle se brosse les cheveux.	She is brushing her hair.
Je me suis cassé la jambe.	I have broken my leg.

Adverbs

An adverb describes a verb. It tells you when, how or where the action of the verb was done.

Example:

	Verb	Adverb
Les ressources	s'épuisent	dangereusement
Resources	are running out	dangerously

Formation

For most adverbs, use the feminine form of the adjective and add -ment.

Examples:

Masculine adjective	Feminine adjective	Adverb
heureux	heureuse	heureusement
premier	première	premièrement

If the adjective ends with a vowel, add **'-ment'** to the masculine form in most cases.

Examples:

Adjective	Adverb
rapide	rapidement
vrai	vraiment

Adjectives ending in **'-ent'** change to **'-emment'** and adjectives ending in **'-ant'** change to **'-amment'**.

Examples:

Adjective	Adverb
fréquent	fréquemment
constant	constamment

Exception:　　lent ➜ lentement

Some adverbs are irregular:

Adjective	Adverb
gentil	gentiment
bon	bien
mauvais	mal

Some adverbs are not formed from adjectives: e.g. **'enfin'**, (at last), **'bientôt'** (soon), **'longtemps'** (a long time), **'souvent'** (often), **'beaucoup'** (a lot), **'assez'** (enough) ...

N.B:- when standing before a noun, to express a quantity, some adverbs are followed by **'de'**.
'Beaucoup' (a lot), **'peu'** (few), **'trop'** (too much) and **'assez'** (enough) follow that rule.
Il y a trop de pollution.
There is too much pollution.
En France, il y a beaucoup d'immigrés.
In France, there are a lot of immigrants.

Be careful! **'Beaucoup des'** is not admissible.
- **'Beaucoup'** and **'beaucoup de'** cannot be qualified by another adverb except the negative **'pas'**.
Be careful! **'Très beaucoup'** and **'trop beaucoup'** are not admissible.
Il y a beaucoup trop de centrales nucléaires.
There are too many power stations.

Position

1 Adverbs are normally placed after the verb:
Il prend souvent sa bicyclette.
He often takes his bike.

2 In compound tenses (avoir or être + past participle) shorter adverbs are placed before the past participle:
J'ai tout recyclé.
I have recycled everything.

Be careful! Some adverbs follow the past participle:
Il est arrivé hier.   *He arrived yesterday.*

Comparative

plus + adverb + que	
plus rapidement que	more quickly than
aussi + adverb + que	
aussi rapidement que	as quickly as
moins + adverb + que	
moins rapidement que	less quickly than

Superlative

le plus + adverb	
le plus rapidement	the quickest
le moins + adverb	
le moins rapidement	the least quickly

irregular forms	Comparative	Superlative
bien	mieux	le mieux
mal	plus mal	le plus mal

Inversion after adverbs

If you start a sentence with one of these adverbs: 'à peine'; 'au moins'; 'du moins'; 'peut-être'; 'en vain'; 'aussi' (= therefore); 'ainsi' and 'sans doute', inversion (as in interrogative sentences) takes place.

Examples:
Peut-être la nouvelle génération se débarrassera-t-elle petit à petit des séquelles racistes.
Perhaps the new generation will gradually rid itself of racist consequences.
A peine ai-je eu le temps de respirer.
I could hardly breathe.

If you do not use the inversion, then the adverbs must not start the sentence but be placed after the verb.
La nouvelle génération se débarrassera peut-être des séquelles racistes.

Pronouns

Pronouns are words which replace nouns in a sentence. They are often used to avoid repetition. There are many different types of pronouns performing different functions.

Personal subject pronouns

I	je / j'
you (familiar)	tu
he	il
she	elle
one / we	on
we	nous
you (polite / plural)	vous
they (masculine)	ils
they (feminine)	elles

Direct object pronouns

Direct object pronouns are used to replace a noun linked directly to the verb.

me	me/m'
you	te / t'
him / it	le / l'
her / it	la / l'
us	nous
you	vous
them	les

Example:

Il a fait un discours.	Il l'a fait.
Il a fait légaliser ses papiers.	Il les a fait légaliser.
Elle va voir le président.	Elle va le voir.

N.B: Direct object pronouns go:
– before the verb in the present tense.
– before the auxiliary in the perfect tense.
– immediately before the infinitive in two-verb constructions.

Indirect object pronouns

Indirect object pronouns are used to replace a noun linked to the verb by a preposition, usually 'à'.

Examples:
téléphoner à, envoyer à, dire à, écrire à.

(to) me	me / m'
(to) you	te / t'
(to) him / her / it	lui
(to) us	nous
(to) you	vous
(to) them	leur

Be careful! Some verbs in French need an indirect object pronoun while their English equivalent need a direct object pronoun or vice versa.

Je lui ai dit de venir.	I told <u>him</u> to come.
(indirect object)	(direct object)
Il les a attendus.	He waited <u>for them</u>.
(direct object)	(indirect object)

N.B: Indirect object pronouns go:
– before the verb in the present tense.
– before the auxiliary in the perfect tense.
– immediately before the infinitive in two verb constructions.

Relative pronouns

1 **'Qui ' = 'who', 'which' or 'that'. 'Qui' relates to someone or something, which is the subject of the verb that follows.**
La centrale qui se trouve ...
The power station which is ... (the power station – subject – is)

2 **'Que' = 'whom', 'which' or 'that'. 'Que' / 'qu' relates to someone or something, which is the direct object of the verb that follows.**
La centrale éolienne que Jean-Paul a créée.
The windmill which Jean-Paul created. (Jean-Paul created the windmill – direct object)

3 **After prepositions (avec; sans; pour; devant ...) use 'lequel' (masc.); 'laquelle' (fem.); 'lesquels' (masc. plur) or 'lesquelles' (fem. plur).**
L'éolienne devant laquelle il est photographié.
The windmill in front of which he is photographed.

4 **After the preposition 'à', use 'auquel', 'à laquelle', 'auxquels' or 'auxquelles'.
After the preposition 'de', use 'duquel', 'de laquelle', 'desquels', 'desquelles'.**
La ville de laquelle il est originaire .
The town he is from. (= from which he is)

5 **'Dont' = 'of which', 'of whom', 'whose'.**
'Dont' is used with verbs followed by 'de': parler de;
avoir besoin de; se servir de; se souvenir de ...
La centrale dont il m'a parlé a été ravagée par une explosion.
The power station he told me about, (= of which he told me)
was damaged by an explosion.

'Dont' can also mean **'whose'**:
La ville dont tu connais le Maire.
The town whose Mayor you know. (= of whom you know the
Mayor)

6 **'Ce qui', 'ce que' and 'ce dont' mean what.**
Like 'qui', 'ce qui' refers to the subject of the verb.
Ce qui est grave c'est ...
What is serious is ...

Like 'que', 'ce que' refers to the object of the verb.
Le gaz carbonique est responsable de ce que l'on appelle l'effet
de serre.
Carbon dioxyde is responsible for what is called the greenhouse
effect.

Like 'dont', 'ce dont' refers to the object of a verb
normally followed by 'de'.
C'est ce dont il se souvient.
It is what he remembers.

Emphatic pronouns

They are also called disjunctive or stressed pronouns.
They are:

moi	toi	lui	elle	soi	nous	vous	eux	elles

They are used:

1 **After prepositions (après; avant; avec; chez; derrière;**
devant; pour; près de; sans ...):

Il est parti sans lui.	He left without him.
Elle est venue chez moi.	She came to my place.
C'est pour eux que je l'ai fait.	I did it for them.
Elle est arrivée après elle.	She arrived after her.

2 **When comparing:**
Ils sont plus riches qu'eux.   They are richer than they are.

3 **In front of a relative pronoun:**
C'est lui qu'elle a vu hier.   He is the one she saw yesterday.

4 **To express possession:**
C'est à eux.   It's theirs.

5 **After c'est or c'était:**
C'est lui.   It's him.

6 **To emphasise:**
Moi, je ne suis pas d'accord.   I don't agree.

7 **With 'même(s)' = '-self', '-selves':**
Ils ont bâti ce moulin   They built this windmill
eux-mêmes.   themselves.

Demonstrative pronouns

Demonstrative pronouns are used to replace a
demonstrative adjective (ce; cette; cet) and a noun.

masculine singular	masculine plural	feminine singular	feminine plural
celui	ceux	celle	celles

Demonstrative pronouns are used as follows:

ceux des Français	those of the French
celles qui les entourent	those who surround them
celui qui les aidera	the one who will help them

Indefinite pronouns

'Quelqu'un(e)': 'somebody'; 'someone' and 'quelques-
un(es)': some of them, are indefinite pronouns.

Examples:
Quelqu'un me l'a dit.
Somebody told me.
Quelques-uns des hommes politiques français assisteront à la
réunion.
Some of the French politicians will attend the meeting.
Quelques-unes de ces lois sont incompréhensibles.
Some of these laws are difficult to understand.

Possessive pronouns

Possessive pronouns also express ownership but replace the noun (and its possessive adjective) instead of qualifying it. They can be useful in order to avoid repetition. There is always a definite article (le; la; les) The form is determined by the number and gender of the nouns they replace.

	Masculine singular	Feminine singular	Masculine plural	Feminine plural
mine	le mien	la mienne	les miens	les miennes
yours	le tien	la tienne	les tiens	les tiennes
his / hers / its	le sien	la sienne	les siens	les siennes
ours	le nôtre	la nôtre	les nôtres	les nôtres
yours	le vôtre	la vôtre	les vôtres	les vôtres
theirs	le leur	la leur	les leurs	les leurs

Example:
Tu as ta voiture? Je n'ai pas la mienne.
Have you got your car? I haven't got mine.

Y

The pronoun 'y' is used:

1 To replace 'à' or 'en + a place' to mean 'there'. Sometimes it is omitted in English, but it cannot be left out in French.
J'aime aller en France. J'y vais tous les ans.
I like to go to France. I go (there) every year.

2 To replace 'à + a noun' (but not a person) or 'à + a verb'.
Le recyclage? J'y pense.
Recycling? I am thinking about it.
Je suis arrivée à la convaincre. J'y suis arrivée.
I managed to convince her. I managed it.

En

The pronoun 'en' is used:

1 To replace 'a noun + du', 'de la', 'des' or a quantity + 'de'. It can be translated by 'some' or 'any', but may be omitted in English.

Examples:
Des films français? Ils en passent de temps en temps.
Il lit beaucoup de livres français. Il en a lu trois pendant les vacances.
Il n'y a pas de solutions. Si, il y en a.

2 After certain verbs + 'de'

Examples:

avoir besoin de (to need)	J'ai besoin de calme. J'en ai besoin.
se servir de (to use)	Je me sers d'essence sans plomb. Je m'en sers.
se souvenir de (to remember)	Elle se souvient de ses vacances. Elle s'en souvient.

Order of pronouns

When more than one pronoun is used in a sentence, the sequence is as follows:

me				
te	le			
se	la	lui		
nous	les	leur	y	en
vous				

Examples:

Il te l'a donné.	He gave it to you.
Je le leur ai dit.	I said it to them.
Il ne m'en a jamais donné.	He never gave me some.
Elles les y amèneront.	They will bring them there.

Verbs

Tu ou vous?

'Tu' is used when talking to a younger person, to a person your own age or to an older person you know well (such as a family member).

'Vous' is used when talking to more than one person, to a person you don't know or to a person you know but are not on familiar terms with (such as a teacher).

Be careful! Remember to use **'vous'** when talking to a teacher even if he / she uses **tu** when talking to you.

Impersonal verbs

**Impersonal verbs are only used in the third person singular of the infinitive. They can be used in all tenses.
The most common impersonal verbs are: falloir; valoir; s'agir de and pleuvoir.**

Examples:
Il a fallu attendre qu'il s'en aille.
We had to wait for him to go.
Il vaut mieux qu'il parte.
It is better if he leaves.
Il s'agit de l'histoire d'amour d'un immigré et d'une Française.
It is a love story about an immigrant and a French woman.
Hier, il a plu toute la journée.
Yesterday, it rained all day.

Other expressions such as 'il y a', 'il reste', 'il manque', 'il paraît que' and 'il suffit de' ... are also impersonal.
Il ne reste pas de produits bio dans les magasins.
There are no organic products left in the shops.

The infinitive

The infinitive of a verb is the basic verb form which is found in dictionaries and verb tables.

The infinitive is used:

1 As a noun:
Limiter le nombre des clandestins est le but que s'est fixé le gouvernement.
Limiting the number of illegal immigrants is the target the government has set itself.

2 After a verb:
Il doit utiliser sa voiture moins souvent.
He must use his car less often.

3 After a preposition (à; de; sans; pour ...):
Ils ont décidé d'aider les sans-abris.
They have decided to help the homeless.

Be careful! The perfect infinitive is used after **après** to express after doing or having done something.

Verbs are linked together in different ways

Some verbs are followed by an infinitive.

adorer	to love
aimer	to like
avouer	to admit
compter	to intend
croire	to think, to believe
désirer	to wish
détester	to hate
devoir	to have to
espérer	to hope
faire	to make
falloir (il faut)	to have to
laisser	to let
oser	to dare
paraître	to appear
penser	to think
pouvoir	to be able to
préférer	to prefer
prétendre	to claim
savoir	to be able to (to know how to)
sembler	to seem
souhaiter	to wish
valoir mieux (il vaut mieux)	to be better
vouloir	to want

Example:

Rachid veut rester en France.	Rachid wants to stay in France.
Elle espère travailler à l'étranger.	She hopes to work abroad.

Some verbs are followed by 'à and the infinitive'

aider à	to help to
s'amuser à	to enjoy
apprendre à	to learn to
arriver à	to manage to
s'attendre à	to expect to
autoriser à	to allow to
avoir à	to have ... to
chercher à	to try to

commencer à	to begin to
consister à	to consist in
continuer à	to continue to
se décider à	to make up one's mind
tenir à	to be keen to
s'habituer à	to get used to
hésiter à	to hesitate to
se mettre à	to start to
obliger à	to oblige to
passer son temps à	to spend one's time in
perdre son temps à	to waste one's time in
se préparer à	to prepare oneself to
renoncer à	to give up
réussir à	to succeed in
servir à	to be used for
songer à	to think of

Example:
Il l'a aidé à touver un emploi.

Some verbs are followed by 'de and the infinitive'

accepter	to accept, agree
accuser de	to accuse
(s') arrêter de	to stop
avoir besoin	to need to
avoir envie de	to feel like
avoir peur	to be afraid
cesser de	to stop
choisir de	to choose
décider de	to decide
(s') efforcer de	to strive
essayer de	to try
éviter de	to avoid
faire semblant de	to pretend
finir de	to finish
oublier de	to forget
refuser de	to refuse
regretter de	to regret
risquer de	to risk
(se) souvenir de	to remember
tenter de	to attempt
venir de	to have just

Example:
Elle a décidé de chercher un emploi.
She has decided to look for a job.

Some verbs are followed by 'à and a person and de and the infinitive'

conseiller à ... de	to advise ... to
défendre à ... de	to forbid
demander à ... de	to ask
dire à ... de	to tell
interdire à ... de	to forbid
offrir à ... de	to offer
suggérer à ... de	to suggest
ordonner à ... de	to order
pardonner à ... de	to forgive
permettre à ... de	to allow
promettre à ... de	to promise
proposer à ... de	to suggest
reprocher à ... de	to reproach

Example:
Le directeur a demandé à l'élève musulmane de ne pas porter son foulard.
The headmaster asked the muslim pupil not to wear her head scarf.

Adjectives can also be followed by 'à or de and the infinitive'

Some adjectives are followed by à and the infinitive.

difficile à	difficult to
enclin à	inclined to
facile à	easy to
impossible à	impossible to
prêt à	ready to
le / la premier(ère) à	the first to
le / la seul(e) à	the only one to

Example:
C'est impossible à comprendre.

Some adjectives are followed by 'de and the infinitive'

capable de	able to
certain de	sure to
content de	happy to
heureux de	happy to
ravi de	delighted to
sûre de	sure to

Example:
Il est content d'avoir trouvé un emploi.

Negatives

Dependent infinitives

Example:

J'ai fait réparer ma voiture.

I had my car repaired. (someone else did it for you)

In French, 'faire + the infinitive' is used to convey this idea.

La municipalité a fait construire de nouveaux immeubles.

The town council had new blocks of flats built.

N.B: If pronouns are used with 'faire+infinitive' the pronoun goes before 'faire' but in the perfect tense the past participle does not agree.

Il les a fait construire.

He had them built.

The verbs voir, entendre, sentir and laisser can also be used in this way.

Examples:

Je l'entends parler.

I can hear him speak.

Laissez-moi faire ce que je veux!

Let me do what I want!

The perfect infinitive

The perfect infinitive is made up of 'avoir' or 'être' in the infinitive and the past participle of the verb.

Examples:

Après avoir mangé, il est allé en ville.

After eating (= after having eaten) he went to town.

Après être allée à un rassemblement politique, Nathalie s'est rendue à son bureau.

After she had gone (= after having been) to a political rally, Nathalie went back to her office.

Après s'être levées, elles ont remarqué quelque chose de bizarre.

After they got up (= after having got up) they noticed something strange.

The negative either changes a positive statement into a negative statement or expresses such ideas as 'never', 'no-one', 'no longer', 'nothing', 'not ever', 'nowhere' etc.

The following negative expressions go on each side of the verb or the auxiliary:

ne ... pas	not
ne ... jamais	never
ne ... plus	no longer
ne ... rien	nothing
ne ... guère	hardly

Examples:

Elle n'est jamais allé à l'étranger.

She has never been abroad.

Il ne veut rien dire.

He does not want to say anything.

The following negative expressions go on each side of the verb or past participle:

ne .... personne	nobody
ne ... nulle part	nowhere
ne ... aucun(e)	none
ne ... que	only
ne ... ni	neither ... nor

Examples:

Ils ne vont nulle part.

They don't go anywhere.

Il n'a vu personne.

He did not see anybody.

1 **'Personne', 'rien' and 'aucun(e)' can also be used as subjects:**

Personne ne veut le lui dire.

Nobody wants to tell him.

2 **When 'ne ... pas' / 'ne ... jamais' and 'ne ... plus' are followed by a noun, 'du' / 'de la' / 'des' all become 'de'.**

Je mange du beurre.   Je ne mange pas / jamais / plus de beurre.

3 More than one negative in a sentence:
ne ... jamais rien
ne ... jamais personne
ne ... plus rien
ne ... plus personne

Examples:
Elle ne recycle jamais rien.
She never recycles anything.
Il n'y a plus personne.
There is nobody left.

4 If you are replying to a question with a negative and no verb drop 'ne':
Vous mangez du boeuf? Jamais.
Do you eat beef? Never.

5 In an informal conversation, 'ne' is often omitted
Je ne sais pas ➜ *Je sais pas.*

Questions

There are four main ways of forming questions (the first three require a yes or no answer; the fourth asks for specific information).

Familiar

Mainly used in speech and with the 'tu' form.
The tone rises at the end.
The word order is the same as in statements (i.e no inversion).

Examples:
Tu es sportif? (present tense)
Tu as recyclé les bouteilles? (perfect tense)

Normal conversation

Can be spoken or written.
Add 'est-ce que' to the start of a sentence.
The word order is the same as in statements (i.e no inversion).

Examples:
Est-ce que tu es sportif? (present tense)
Est-ce que tu as recyclé les bouteilles? (perfect tense)

Formal style

Mainly used in writing.
Change the word order (i.e. inversion of subject and verb).

Examples:
Es-tu sportif? (present tense)
As-tu recyclé les bouteilles? (perfect tense).

With other interrogatives (question words)

Quand?	When?
Comment?	How?
Combien?	How much? How many?
Où?	Where?
Pourquoi?	Why?
Qui?	Who? Whom?
Que?	What? (que + est-ce que = qu'est-ce que)
Quel?	Which? (**N.B:** quel (m); quelle (f); quels (m,pl); 'quelles' (f.pl))

Examples:
Present tense:
Où recyclez-vous les bouteilles? (inversion) Or,
Où est-ce que vous recyclez les bouteilles?
Comment vous déplacez-vous en ville? (inversion) Or,
Comment est-ce que vous vous déplacez en ville?
Qui recycle les journaux?
Que fais-tu?
Qu'est-ce que tu fais?
Quel parti soutiens-tu?
Quelle femme politique admires-tu?
Quels hommes scientifiques connais-tu?

The present tense

In French, the present tense is used when you want to express:

1 What happens usually:
Tous les week-ends, il recycle ses vieux journaux.

Every week-end, he recycles his old papers.

2 What is happening at the moment:
Elle est dans le jardin.   Elle plante des légumes.
She is in the garden.   She is planting vegetables.

3 What will happen in the near future:
Que fais-tu ce soir? Je vais à une réunion électorale.
What are you doing tonight? I'm going to a political rally.

**4 After 'depuis' to say how long or since when
something has been happening:**
Je recycle mes journaux depuis six mois.
I have been recycling my papers for six months.

Regular verbs – Formation

**The present tense is formed by dropping '-er', '-ir' or
'-re' from the infinitive and adding the following
endings:**

-er jouer to play	-ir finir to finish	-re vendre to sell
je joue**e**	je fin**is**	je vend**s**
tu jou**es**	tu fin**is**	tu vend**s**
il / elle /on jou**e**	il / elle / on fin**it**	il / elle / on ven**d**
nous jou**ons**	nous finiss**ons**	nous vend**ons**
vous jou**ez**	vous finiss**ez**	vous vend**ez**
ils / elles jou**ent**	ils / elles fin**issent**	ils / elles vend**ent**

There are a few minor exceptions:

acheter   to buy
j'ach**è**te   tu ach**è**tes   il / elle / on ach**è**te   nous achetons
vous achetez   ils / elles ach**è**tent

+ like **acheter**:
amener	to bring
emmener	to take away
mener	to lead
se lever	to get up
peser	to weigh
se promener	to go for a walk

The 'è' is in all but the nous and vous forms.

appeler   to call
j'appel**le**   tu appel**les**   il / elle / on appel**le**   nous appelons
vous appelez   ils / elles appel**lent**

+ like **appeler**:
jeter	to throw
rappeler (se)	to call back, to remember

The final consonant before the ending becomes double in
all but the 'nous' and 'vous' forms.

Commencer (to start) and other verbs which end in '-cer'
je commence   tu commences   il / elle / on commence
nous commen**ç**ons   vous commencez   ils / elles commencent
The 'c' changes to a 'ç' in the nous form. This is to keep
the soft pronunciation.

espérer   to hope
j'esp**è**re   tu esp**è**res   il / elle / on esp**è**re   nous espérons
vous espérez   ils / elles esp**è**rent

+ like **espérer**
s'inquiéter	to worry
préférer	to prefer
protéger	to protect
répéter	to repeat
sécher	to dry

'é' becomes 'è' in all but the 'nous' and 'vous' forms.

employer   to use
j'emplo**ie**   tu emplo**ies**   il / elle / on emplo**ie**   nous employons
vous employez   ils / elles emplo**ient**

+ like **employer**
appuyer	to lean / press
envoyer	to send
essuyer	to wipe
nettoyer	to clean
se noyer	to drown
essayer	to try

The 'y' changes to an 'i' in all but the 'nous' and 'vous'
forms.

manger (to eat) and other verbs which end in '-ger'
je mange   tu manges   il / elle / on mange   nous mange**ons**
vous mangez   ils / elles mangent

This is to keep the 'soft' prounciation.

*For an extensive list of irregular verbs consult the verb
tables on p. 149.*

Reflexive verbs in the present tense

Reflexive verbs are used to describe actions done to yourself. They are easy to recognise since there is always a pronoun (me; te; se; nous; vous) between the subject and the verb.

Examples:
Je me lève   I get up
Il s'entraîne régulièrement.   He trains regularly.

Look at the chart below to help you form reflexive verbs correctly:

Subject	Reflexive pronoun	Verb	Translation
je	me (m')	lève	I get up
tu	te (t')	laves	you wash
il / elle / on	se (s')	entraîne	he / she / one trains
nous	nous	réveillons	we wake up
vous	vous	amusez	you enjoy yourself
ils / elles	se	douchent	they have a shower

The perfect tense

The perfect tense is a compound tense and it is used to describe a completed action in the past. It is made up of two parts: the present tense of 'avoir' or 'être' + the past participle of the required verb.

The past participle of regular verbs is formed as follows:
-er verbs ➜ é   -ir verbs ➜ i   -re verbs ➜ u

Avoir

The majority of verbs use the present tense of 'avoir' + the past participle:

progresser	choisir	attendre
j'ai progressé	j'ai choisi	j'ai attendu

With 'avoir', the past participle of the verb does not agree with the subject.
Elles ont recyclé les journaux.   They have recycled the newspapers.

The past participle agrees with the direct object if the direct objet is placed before the verb (preceding direct object):
Elles **les** ont recyclés. (les = journaux, masculine / plural)

Etre

Some verbs use the present tense of 'être' + the past participle. These are:

Monter, rester, venir, devenir, arriver, naître, sortir, tomber, rentrer, revenir, retourner, aller, mourir, partir, entrer, descendre.

With all these verbs, the past participle of the verb must agree with the subject.
Les clandestins sont partis de leur pays.
The illegal immigrants left their country.

Reflexives

Pronouns (me; te; se; nous; vous; se) + present tense of 'être' + the past participle:
Je me suis lavé(e)   I got washed

The perfect tense in the negative

In the negative, 'ne ... pas' is placed around the auxiliary verb, e.g. the part of 'avoir' or 'être'. Other negatives (ne ... jamais; ne ... rien) follow the same model:
je n'ai pas vu   je n'ai jamais vu   je n'ai rien vu

Be careful: 'ne ... personne' is not placed around the auxiliary. 'Personne' is placed after the past participle:
je n'ai vu personne

The perfect tense in questions

Qu'est-ce que les manifestants ont reproché à la police? OR
Les manifestants, qu'ont-ils- reproché à la police?'
Quels ont été leurs sentiments?
Combien de travailleurs clandestins ont-ils cachés?

The imperfect tense

The imperfect is used:

1 **To describe what somebody or something was like:**
C'était l'année où la France a rejoint la communauté européenne.
It was the year when France joined the European community.

2 **To describe actions that were going on over a period of time:**
Ce qui se passait dans le monde.
What was happening in the world.

3 **To describe actions that used to happen in the past:**
Quand j'étais plus jeune, je regardais énormément la télé.
When I was younger I used to watch television a lot.

Formation: take the nous stem of the present tense and add the imperfect endings:

Infinitive	Present tense	Stem	Imperfect endings
utiliser	nous utilisons	utilis	ais, -ais, -ait, -ions, -iez, aient

Example: j'utilisais

Exception: **être**
j'étais   tu étais   il / elle / on était   nous étions,   vous étiez, ils / elles étaient

The future tense

As in English, the future is used to describe what will be done.
To form the future: you take the infinitive of the verb (for -'re' verbs cross out the '-e') and you add the future endings(-ai, -as, -a, -ons, -ez, -ont) to the infinitive.

Examples:

je jouerai: I will play   je finirai: I will finish   je vendrai: I will sell

Common irregular futures:

être: je serai	savoir: je saurai
avoir: j'aurai	pouvoir: je pourrai
faire: je ferai	devoir: je devrai
aller: j'irai	voir : je verrai

Be careful:

English	French
When + present + future	Quand + future + future
When I am at university	Quand je serai en fac je
I will take part in the	participerai au programme
Erasmus program.	Erasme.

Other conjunctions after which the future is used

lorsque   dès que   aussitôt que

Other ways of expressing the future

a **Present tense of aller + infinitive**
Je vais lui demander de recycler toutes ses bouteilles.
I am going to ask him / her to recycle all his / her bottles.

b **Être sur le point de + infinitive**
Elle est sur le point de réussir.
She is about to succeed.

The future perfect

The future perfect tense is formed by adding the past participle to the future tense of 'avoir' or 'être'. The rules of agreement are the same as for the perfect tense.
It is used to describe what will have happened by a certain time or date:

Examples:
D'ici l'année 2010 j'aurai fini mes études.
By 2010 I will have finished my studies.
Je pense qu'il sera rentré d'ici 8 heures ce soir.
I think that he will have come back by 8 o'clock this evening.

It is also used (instead of the perfect or present in English) after 'quand', 'lorsque', 'dès que':

Téléphone-moi dès que tu seras arrivé.

Phone me as soon as you arrive / have arrived.

The conditional

The conditional is used to describe what would happen if certain conditions were met.

To form the conditional: take the infinitive of the verb (for '-re' verbs cross out the e) and add the imperfect endings (-ais, -ais, -ait, -ions, -iez, -aient) to the infinitive of the verb.

je jouerais: I would play   je finirais: I would finish
je vendrais: I would sell

When used with 'si', the pattern is the same as in English:

English	French
If + imperfect + conditional	Si + imperfect + conditional
If he had a work permit he would work in France.	S'il avait un permis de travail, il travaillerait en France.

The conditional perfect

The conditional perfect is made of the conditional tense of 'avoir' or 'être' + the past participle.

Examples:
il aurait fini   he would have finished
elles seraient arrivées   they would have arrived

As in English, the conditional perfect is used to express the idea of would have done.

Beaucoup d'entre eux auraient auparavant eu le droit de vivre en France.

Before, many of them would have been allowed to live in France.

It is used in the following situations:

1   **With 'si' + pluperfect tense:**
Il aurait travaillé en France s'il avait eu un permis de travail.
He would have worked in France if he had had a work permit.

2   **With 'devoir' to express 'ought to have' / 'should have':**
Ils auraient dû être moins violents.
They should have been less violent.

3   **With 'pouvoir' to express 'could have' / 'might have':**
Vous auriez pu leur expliquer.
You could have explained it to them.

The pluperfect

The pluperfect is used to express the idea 'had done':
Son père était parti.
His father had left.

The pluperfect is formed with the imperfect of 'avoir' or 'être' + past participle.
j'avais travaillé   j'étais arrivé(e)   je m'étais retrouvé(e)

The pluperfect is used:

1   **To describe what had happened before another action in the past:**
J'étais sorti quand il est passé me voir.
I had gone out when he called to see me.

2   **In reported speech:**
Elle m'a demandé si j'avais assez mangé.
She asked me if I had eaten enough.

The past historic

The past historic is used instead of the perfect tense in novels, history books and newspaper articles. It is only used for written French. In speech, use the perfect tense.

1 -er verbs	2 -ir and -re verbs	3 iregular verbs like boire
jouer	choisir	boire
je jouai	je finis	je bus
tu jouas	tu finis	tu bus
il / elle / on joua	il / elle / on finit	il / elle / on but
nous jouâmes	nous finîmes	nous bûmes
vous jouâtes	vous finîtes	vous bûtes
ils / elles jouèrent	ils / elles finirent	ils / elles burent

1 faire, voir and mettre follow model no.2: je fis, je vis, je mis.
2 recevoir, vouloir and être follow model no. 3: je reçus, je voulus, je fus.
3 venir and tenir do not follow any of these: je vins, je tins.

The passive

The passive is formed with 'être' (in the correct tense) + the past participle.
Do not forget to make the past participle agree with the subject.
   Present: 360 Kms de côte sont souillés.   360 kms of coastline are polluted.

1 Past: La marée noire a été causée par un pétrolier. (perfect)
          The oil slick was caused by an oil tanker.
   L'équilibre biologique n'était toujours pas rétabli.(imperfect)
   The biological balance was still not restored.
   Cette catastrophe avait été prévue.(Pluperfect)
   This disaster had been foreseen.
   La faune fut peu touchée.(past historic)
   The wildlife was little affected.

2 Future: Les dégâts seront pris en charge par le gouvernement.
            The damages will be taken on board by the government.

3 Conditional: Le PDG serait accusé.
                 The compagny director would be accused.

4 Infinitive: Beaucoup d'argent devra être consacré à la restauration des plages polluées.
               A lot of money will have to be spent on restoring polluted beaches.

Be careful: The passive is less common in French than in English and it is often avoided.
Active sentences can only be turned into passive sentences if the object is direct.
Le gouvernement avait prié le PDG de vérifier son matériel.
Le PDG avait été prié de vérifer son matériel.

The following verbs cannot be turned into a passive because they take an indirect object (they are followed by 'à' + a noun): dire; conseiller; téléphoner; demander; montrer; refuser.

Examples:
On m'a montré l'étendue du désastre.
I was shown the extent of the disaster.

on m'a dit	I was told	on lui a dit	he / she was told	on leur a dit	they were told
on m'a conseillé	I was advised	on lui a conseillé	he / she was advised	on leur a conseillé	they were advised
on m'a demandé	I was asked	on lui a demandé	he / she was asked	on leur a demandé	they were asked
on m'a refusé	I was refused	on lui a refusé	he / she was refused	on leur a refusé	they were refused

The imperative

The imperative is used to give orders / instructions or to make suggestions.

To form the imperative when you are referring to someone you call 'tu'

For '-er' verbs: remove the '-s' from the 'tu' form of the present tense and omit 'tu'.

Tu recycles tes bouteilles.	You recycle your bottles.
Recycle tes bouteilles!	Recycle your bottles!

For other verbs, you simply use the 'tu' form without the 'tu':

Tu prends ta bicyclette.	You take your bicycle.
Prends ta bicyclette!	Take your bicycle!

N.B: When there are pronouns, the pronoun comes after the verb and a hyphen is added. 'Me' and 'te' become 'moi' and 'toi'.

tu te lèves	you get up	lève-toi!	get up
tu me montres	you show me	montre-moi!	show me!
tu me le donnes	you give it to me	donne-le-moi!	give it to me!

The imperative is used

1 **When you are referring to someone you call vous:**
Simply use the 'vous' form of the verb in the present tense and omit 'vous':

vous faites	you do	faites!	do!

N.B: When there are pronouns, the pronoun comes after the verb and a hyphen is added.

vous vous arrêtez	you stop
vous m'écrivez	you write to me

arrêtez-vous!	stop!
écrivez-moi!	write to me!

2 **To suggest let's do something:**
Use the 'nous' form of the verb in the present tense and omit 'nous':

nous parlons	we speak	parlons(-en)!	let's speak (about it)!

There are only three exceptions:

avoir	aie	ayons	ayez
être	sois	soyons	soyez
savoir	sache	sachons	sachez

To form a negative imperative

Place 'ne ... pas' around the verb as usual. But be careful! Any pronouns now come before the verb.

n'oubliez pas!	don't forget!	ne le lui donne pas!	don't give it to him!

The present participle

The present participle (which often corresponds to the English 'ing' on the end of a verb) is used:

a On its own to convey the idea of because or since
b After the preposition 'en' to express in / by / whilst doing something
Le pétrolier a pollué la côte en s'échouant au large de la Bretagne.
The oil tanker polluted the coast by sinking.

To form the present participle

Take the 'nous' form of the present tense, remove '-ons' and add '-ant':

faire	fais<u>ons</u>	fais<u>ant</u>

Exceptions:
avoir	ayant
être	étant
savoir	sachant

The subjunctive

The subjunctive is not a tense, it is a mood. It is used in certain circumstances instead of the indicative. There are four tenses of the subjunctive: present, perfect, imperfect and pluperfect. However, the present subjunctive is used most frequently.

How do you form the subjunctive?

1 The present subjunctive
a Regular verbs:
Add these endings to the stem of the 'ils' form of the present tense: **je ...-e; tu ...-es; il / elle / on ...-e; nous ...-ions; vous ...-iez; ils / elles ...-ent**.

	jouer	finir	vendre
Stem	jou	finiss	vend
of the	je joue	je finisse	je vende
present	tu joues	tu finisses	tu vendes
tense	il / elle / on joue	il / elle / on finisse	il / elle / on vende
	nous jouions	nous finissions	nous vendions
	vous jouiez	vous finissiez	vous vendiez
	ils / elles jouent	ils / elles finissent	ils / elles vendent

2 Irregular verbs
Here are some commonly used verbs in the present subjunctive:

	je	tu	il/elle/on	nous	vous	ils/elles
aller	aille	ailles	aille	allions	alliez	aillent
avoir	aie	aies	ait	ayons	ayez	aient
être	sois	sois	soit	soyons	soyez	soient
faire	fasse	fasses	fasse	fassions	fassiez	fassent
prendre	prenne	prennes	prenne	prenions	preniez	prennent
pouvoir	puisse	puisses	puisse	puissions	puissiez	puissent
savoir	sache	saches	sache	sachions	sachiez	sachent

For other irregular verbs consult the verb tables on p. 149.

The perfect subjunctive

It is formed by using the present subjunctive of the auxiliary verb ('avoir' or 'être') and the past participle. The normal rules of agreement in the perfect tense apply.

que j'aie joué   que je sois parti(e)   que je me sois amusé(e)

The imperfect subjunctive

This tense is rarely used but you need to be able to recognize it. It is based on the second person singular ('tu' form) of the past historic. A few examples will be enough for you to recognize it in use.

Infinitive	Past historic	Imperfect subjunctive
jouer	tu donnas	je donnasse
finir	tu finis	tu finisses
être	tu fus	il / elle / on fût
avoir	tu eus	nous eussions
prendre	tu pris	vous prissiez
faire	tu fis	ils / elles fissent

Ceux qui voulaient qu'il fût guillotiné.
Those who wanted him to be guillotined.

When do you use the subjunctive?

The subjunctive must be used with certain verbs and expressions:

1 With certain expressions of necessity, possibility and impossibility: 'il faut que ...' ; 'il est nécessaire que ...' ; 'il se peut que ...' ; 'il est possible que ...' ; 'il semble que ...' ; 'il n'est pas certain que ...' ; 'il est peu probable que ...' ; 'il est impossible que ...'
Il faut que les gens prennent conscience des problèmes de pollution.
People must be aware of the problems of pollution.

N.B: When 'il semble que' is used with 'me', 'te', it is followed by the indicative and not the subjunctive:
Il me semble que le gouvernement a raison.
It seems to me that the government is right.

2 With verbs expressing wishes or emotions: when you want, wish, prefer or hope for someone else to do something: vouloir que ... ; préférer que ... ; souhaiter que ... ; désirer que ... ; aimer que ... ; être content que ... ; être surpris que ... ; avoir peur que ... ; craindre que ... ; douter que ...
Il ne veut pas que son fils parte à l'étranger.
He does not want his son to go abroad.

N.B: Remember to use 'ne' with craindre and avoir peur.
Certains craignent qu'il <u>ne</u> soit trop tard pour sauver la planète.
Some fear that it is too late to save the planet.

3 **After certain conjunctions: bien que; quoique; à condition que; avant que; après que jusqu'à ce que; à moins que; pour que; afin que; pourvu que; sans que.**

Bien que le gouvernement prenne de plus en plus de mesures pour lutter contre la pollution il reste encore beaucoup à faire.
Although the government takes more and more measures to fight pollution, there is still a lot to do.

4 **With penser, croire and dire in questions or negative sentences.**

Je ne pense pas que le gouvernement ait raison.   BUT
Je pense que le gouvernement a raison.

I don't think that the government is right.   BUT
I think that the government is right.

5 **After 'qui' or 'que' when they follow:**
   – **a superlative:**
C'est la ville la plus propre que j'aie visitée.
It is the cleanest town I have visited.

   – **a negative:**
Les hommes politiques ne disent rien qui puisse me convaincre.
The politicians are not saying anything which could convince me.

   – **an expression of dream or wish:**
Je rêve d'un métier qui me permette de voyager.
My dream job is one which would allow me to travel.

The perfect subjunctive

The perfect subjunctive is used according to the same circumstances as the present subjunctive, but when the event expressed by the verb in the subjunctive is considered to have happened before that of the main verb. This follows what is known as the sequence of tenses.

Bien que les autorités aient pris un grand nombre de mesures pour maîtriser la maladie, le consommateur doit, lui-aussi, être vigilant.
Although the authorities have taken a lot of measures to fight the disease, the consumer must also be vigilant.

When to avoid the subjunctive?

Use an infinitive and not the subjunctive when there is no change of subject:

Examples:
Je veux partir à l'étranger.   I want to go abroad.
Je veux qu'il parte à l'étranger.   I want him to go abroad.

Il est parti sans dire un mot.   He left without saying a word.
Il est parti sans qu'elle ne lui dise rien.   He left without her saying anything to him.

Indirect speech

Direct speech: in direct speech, the words or thoughts are reported directly by the speaker:

Il a dit: «Saint-Denis connaît des difficultés»

Indirect or reported speech: in indirect speech, the words or thoughts are reported indirectly by the speaker and are expressed after verbs such as dire, expliquer, annoncer, raconter ... + a clause introduced by 'que/qu' '.

Il a dit que Saint-Denis connaissait des difficultés.

The tenses used after 'que' are the same as they would be in English.
Therefore, when you want to say what somebody has said or asked, you have to change direct speech into indirect speech.

Direct speech	Reported speech
Present tense	Imperfect
Future tense	Conditional

Je ferai de mon mieux.   Le Président a dit qu'il ferait de son mieux.

Perfect tense	Pluperfect tense
Le Président est parti à la Réunion.	Il m'a dit que le Président était parti à la Réunion.

Inversion after speech

The verb and the noun are inverted (they change places) after direct speech:

Examples:

Attends, dit-il.

Wait, he said.

Qu'est-ce qu'il y a? me demanda-t-il.

What is the matter? he asked me.

Prepositions

1 'à' (in; to; at) and 'de' (from; of)

Remember:

à+ le = au	à + les = aux	de + le = du	de + les = des

Examples:

Il habite aux Etats-Unis.

He lives in the United States.

Elle vient du Portugal.

She comes from Portugal.

2 Other common prepositions

après	after
avant	before
avec	with
dans	in
derrière	behind
devant	in front of
entre	between
pour	for
sans	without
sous	under
sur	on

Be careful! 'Près de' and 'en face de' follow the same rules as 'de'.

Examples:

C'est près du cinéma.

It's near the cinema.

C'est en face du restaurant.

It's opposite the restaurant.

Conjunctions

Conjunctions are linking words.

Be careful! Some conjunctions ending in 'que' require the subjunctive.

Below is a list of the most common conjunctions.

* = subjunctive:

*afin que	so that
alors que	while
*avant que	before
*après que	after
*bien que	although
car	for / because
cependant	however
comme	as
*à condition que	provided that
dès que	as soon as
depuis que	since
donc	then / so
*jusqu à ce que	until
*à moins que	unless
parce que	because
pendant que	while
*pour que	in order to
pourtant	yet, however
*pourvu que	provided that
puis	then/next
puisque	since
quand	when
*quoique	although
*de sorte que	so that
tandis que	while
toutefois	however

Venir de ... / en train de ...

■ **'Venir de ...' in the present tense is used to express the idea of having just done something. It is formed by using the appropriate form of the verb 'venir' (to come) in the present tense + 'de' + an infinitive.**

Examples:

Il vient d'être élu Président de la République.
He has just been elected President of the Republic.
Nous venons de faire le tour des capitales européennes.
We have just done a tour of the European capitals.
Ils viennent de rentrer en France définitivement.
They have just moved back to France for good.

Etre en train de ...

'Etre en train de ...' in the present tense is used to express the idea of being in the process of doing something. It is formed by using the appropriate form of the verb 'être' + 'en train de' + an infinitive.

Examples:

Je ne peux pas. Je suis en train de prendre une douche!
I can't. I'm (in the process of) having a shower!
Le mécanicien est en train de réparer ma voiture.
The mechanic is (in the process of) fixing my car.

Verb tables

Regular verbs: There are three regular verb groups (-er, -ir, -re), which follow the patterns as shown in the tables below:

infinitive	pronoun	present	past participle	future	imperfect	imperative	subjunctive	past historic
travailler (to work)	je	travaille	travaillé (with avoir)	travaillerai	travaillais		travaille	travaillai
	tu	travailles		travailleras	travaillais	travaille!	travailles	travaillas
	il / elle / on	travaille		travaillera	travaillait		travaille	travailla
	nous	travaillons		travaillerons	travaillions	travaillons!	travaillions	travaillâmes
	vous	travaillez		travaillerez	travailliez	travaillez!	travailliez	travaillâtes
	ils / elles	travaillent		travailleront	travaillaient		travaillent	travaillèrent
choisir (to choose)	je	choisis	choisi (with avoir)	choisirai	choisissais		choisisse	choisis
	tu	choisis		choisiras	choisissais	choisis!	choisisses	choisis
	il / elle / on	choisit		choisira	choisissait		choisisse	choisit
	nous	choisissons		choisirons	choisissions	choisissons!	choisissions	choisîmes
	vous	choisissez		choisirez	choisissiez	choisissez!	choisissiez	choisîtes
	ils / elles	choisissent		choisiront	choisissaient		choisissent	choisirent
entendre (to hear)	j'	entends	entendu (with avoir)	entendrai	entendais		entende	entendis
	tu	entends		entendras	entendais	entends!	entendes	entendis
	il / elle / on	entend		entendra	entendait		entende	entendit
	nous	entendons		entendrons	entendions	entendons!	entendions	entendîmes
	vous	entendez		entendrez	entendiez	entendez!	entendiez	entendîtes
	ils / elles	entendent		entendront	entendaient		entendent	entendirent
avoir (to have)	j'	ai	eu (with avoir)	aurai	avais		aie	eus
	tu	as		auras	avais	aie!	aies	eus
	il / elle / on	a		aura	avait		ait	eut
	nous	avons		aurons	avions	ayons!	ayons	eûmes
	vous	avez		aurez	aviez	ayez!	ayez	eûtes
	ils / elles	ont		auront	avaient		aient	eurent
être (to be)	je	suis	été (with avoir)	serai	étais		sois	fus
	tu	es		seras	étais	sois!	sois	fus
	il / elle / on	est		sera	était		soit	fut
	nous	sommes		serons	étions	soyons!	soyons	fûmes
	vous	êtes		serez	étiez	soyez!	soyez	fûtes
	ils / elles	sont		seront	étaient		soient	furent
aller (to go)	je	vais	allé (with être)	irai	allais		aille	allai
	tu	vas		iras	allais	vas!	ailles	allas
	il / elle / on	va		ira	allait		aille	alla
	nous	allons		irons	allions	allons!	allions	allâmes
	vous	allez		irez	alliez	allez!	alliez	allâtes
	ils / elles	vont		iront	allaient		aillent	allèrent

infinitive	pronoun	present	past participle	future	imperfect	imperative	subjunctive	past historic
boire (to drink)	je	bois	bu (with avoir)	boirai	buvais		boive	bus
	tu	bois		boiras	buvais	bois!	boives	bus
	il / elle / on	boit		boira	buvait		boive	but
	nous	buvons		boirons	buvions	buvons!	buvions	bûmes
	vous	buvez		boirez	buviez	buvez!	buviez	bûtes
	ils / elles	boivent		boiront	buvaient		boivent	burent
conduire (to drive)	je	conduis	conduit (with avoir)	conduirai	conduisais		conduise	conduisis
	tu	conduis		conduiras	conduisais	conduis!	conduises	conduisis
	il / elle / on	conduit		conduira	conduisait		conduise	conduisit
	nous	conduisons		conduirons	conduisions	conduisons!	conduisions	conduisîmes
	vous	conduisez		conduirez	conduisiez	conduisez!	conduisiez	conduisîtes
	ils / elles	conduisent		conduiront	conduisaient		conduisent	conduisirent
connaître (to know)	je	connais	connu (with avoir)	connaîtrai	connaissais		connaisse	connus
	tu	connais		connaîtras	connaissais	connais!	connaisses	connus
	il / elle / on	connaît		connaîtra	connaissait		connaisse	connut
	nous	connaissons		connaîtrons	connaissions	connaissons!	connaissions	connûmes
	vous	connaissez		connaîtrez	connaissiez	connaissez!	connaissiez	connûtes
	ils / elles	connaissent		connaîtront	connaissaient		connaissent	connurent
courir (to run)	je	cours	couru (with avoir)	courrai	courais		coure	courus
	tu	cours		courras	courais	cours!	coures	courus
	il / elle / on	court		courra	courait		coure	courut
	nous	courons		courrons	courions	courons!	courions	courûmes
	vous	courez		courrez	couriez	courez!	couriez	courûtes
	ils / elles	courent		courront	couraient		courent	coururent
craindre (to fear)	je	crains	craint (with avoir)	craindrai	craignais		craigne	craignis
	tu	crains		craindras	craignais	crains!	craignes	craignis
	il / elle / on	craint		craindra	craignait		craigne	craignit
	nous	craignons		craindrons	craignions	craignons!	craignions	craignîmes
	vous	craignez		craindrez	craigniez	craignez!	craigniez	craignîtes
	ils / elles	craignent		craindront	craignaient		craignent	craignirent
croire (to believe)	je	crois	cru (with avoir)	croirai	croyais		croie	crus
	tu	crois		croiras	croyais	crois!	croies	crus
	il / elle / on	croit		croira	croyait		croie	crut
	nous	croyons		croirons	croyions	croyons!	croyions	crûmes
	vous	croyez		croirez	croyiez	croyez!	croyiez	crûtes
	ils / elles	croient		croiront	croyaient		croient	crurent

infinitive	pronoun	present	past participle	future	imperfect	imperative	subjunctive	past historic
devoir (must / to have to)	je	dois		devrai	devais		doive	dus
	tu	dois		devras	devais	dois!	doives	dus
	il / elle / on	doit		devra	devait		doive	dut
	nous	devons		devrons	devions	devons!	devions	dûmes
	vous	devez		devrez	deviez	devez!	deviez	dûtes
	ils / elles	doivent	dû (with avoir)	devront	devaient		doivent	durent
dire (to say)	je	dis		dirai	disais		dise	dis
	tu	dis		diras	disais	dis!	dises	dis
	il / elle / on	dit		dira	disait		dise	dit
	nous	disons		dirons	disions	disons!	disions	dîmes
	vous	dites		direz	disiez	dites!	disiez	dîtes
	ils / elles	disent	dit (with avoir)	diront	disaient		disent	dirent
écrire (to write)	j'	écris		écrirai	écrivais		écrive	écrivis
	tu	écris		écriras	écrivais	écris!	écrives	écrivis
	il / elle / on	écrit		écrira	écrivait		écrive	écrivit
	nous	écrivons		écrirons	écrivions	écrivons!	écrivions	écrivîmes
	vous	écrivez		écrirez	écriviez	écrivez!	écriviez	écrivîtes
	ils / elles	écrivent	écrit (with avoir)	écriront	écrivaient		écrivent	écrivirent
faire (to do)	je	fais		ferai	faisais		fasse	fis
	tu	fais		feras	faisais	fais!	fasses	fis
	il / elle / on	fait		fera	faisait		fasse	fit
	nous	faisons		ferons	faisions	faisons!	fassions	fîmes
	vous	faites		ferez	faisiez	faites!	fassiez	fîtes
	ils / elles	font	fait (with avoir)	feront	faisaient		fassent	firent
lire (to read)	je	lis		lirai	lisais		lise	lus
	tu	lis		liras	lisais	lis!	lises	lus
	il / elle / on	lit		lira	lisait		lise	lut
	nous	lisons		lirons	lisions	lisons!	lisions	lûmes
	vous	lisez		lirez	lisiez	lisez!	lisiez	lûtes
	ils / elles	lisent	lu (with avoir)	liront	lisaient		lisent	lurent
mettre (to put)	je	mets		mettrai	mettais		mette	mis
	tu	mets		mettras	mettais	mets!	mettes	mis
	il / elle / on	met		mettra	mettait		mette	mit
	nous	mettons		mettrons	mettions	mettons!	mettions	mîmes
	vous	mettez	mis (with avoir)	mettrez	mettiez	mettez!	mettiez	mîtes
	ils / elles	mettent		mettront	mettaient		mettent	mirent

infinitive	pronoun	present	past participle	future	imperfect	imperative	subjunctive	past historic
mourir (to die)	je	meurs	mort (with être)	mourrai	mourais		meure	mourus
	tu	meurs		mourras	mourais	meurs!	meures	mourus
	il / elle / on	meurt		mourra	mourait		meure	mourut
	nous	mourons		mourrons	mourions	mourons!	mourions	mourûmes
	vous	mourez		mourrez	mouriez	mourez!	mouriez	mourûtes
	ils / elles	meurent		mourront	mouraient		meurent	moururent
naître (to be born)	je	nais	né (with être)	naîtrai	naissais		naisse	naquis
	tu	nais		naîtras	naissais	nais!	naisses	naquis
	il / elle / on	naît		naîtra	naissait		naisse	naquit
	nous	naissons		naîtrons	naissions	naissons!	naissions	naquîmes
	vous	naissez		naîtrez	naissiez	naissez!	naissiez	naquîtes
	ils / elles	naissent		naîtront	naissaient		naissent	naquirent
ouvrir (to open)	j'	ouvre	ouvert (with avoir)	ouvrirai	ouvrais		ouvre	ouvris
	tu	ouvres		ouvriras	ouvrais	ouvre!	ouvres	ouvris
	il / elle / on	ouvre		ouvrira	ouvrait		ouvre	ouvrit
	nous	ouvrons		ouvrirons	ouvrions	ouvrons!	ouvrions	ouvrîmes
	vous	ouvrez		ouvrirez	ouvriez	ouvrez!	ouvriez	ouvrîtes
	ils / elles	ouvrent		ouvriront	ouvraient		ouvrent	ouvrirent
partir (to leave)	je	pars	parti (with être)	partirai	partais		parte	partis
	tu	pars		partiras	partais	pars!	partes	partis
	il / elle / on	part		partira	partait		parte	partit
	nous	partons		partirons	partions	partons!	partions	partîmes
	vous	partez		partirez	partiez	partez!	partiez	partîtes
	ils / elles	partent		partiront	partaient		partent	partirent
pouvoir (to be able to/ can)	je	peux	pu (with avoir)	pourrai	pouvais		puisse	pus
	tu	peux		pourras	pouvais		puisses	pus
	il / elle / on	peut		pourra	pouvait		puisse	put
	nous	pouvons		pourrons	pouvions		puissions	pûmes
	vous	pouvez		pourrez	pouviez		puissiez	pûtes
	ils / elles	peuvent		pourront	pouvaient		puissent	purent
prendre (to take)	je	prends	pris (with avoir)	prendrai	prenais		prenne	pris
	tu	prends		prendras	prenais	prends!	prennes	pris
	il / elle / on	prend		prendra	prenait		prenne	prit
	nous	prenons		prendrons	prenions	prenons!	prenions	prîmes
	vous	prenez		prendrez	preniez	prenez!	preniez	prîtes
	ils / elles	prennent		prendront	prenaient		prennent	prirent

infinitive	pronoun	present	past participle	future	imperfect	imperative	subjunctive	past historic
recevoir (to receive)	je	reçois	reçu (with avoir)	recevrai	recevais		reçoive	reçus
	tu	reçois		recevras	recevais	reçois!	reçoives	reçus
	il / elle / on	reçoit		recevra	recevait		reçoive	reçut
	nous	recevons		recevrons	recevions	recevons!	recevions	reçûmes
	vous	recevez		recevrez	receviez	recevez!	receviez	reçûtes
	ils / elles	reçoivent		recevront	recevaient		reçoivent	reçurent
rire (to laugh)	je	ris	ri (with avoir)	rirai	riais		rie	ris
	tu	ris		riras	riais	ris!	ries	ris
	il / elle / on	rit		rira	riait		rie	rit
	nous	rions		rirons	riions	rions!	riions	rîmes
	vous	riez		rirez	riiez	riez!	riiez	rîtes
	ils / elles	rient		riront	riaient		rient	rirent
savoir (to know)	je	sais	su (with avoir)	saurai	savais		sache	sus
	tu	sais		sauras	savais	sais!	saches	sus
	il / elle / on	sait		saura	savait		sache	sut
	nous	savons		saurons	savions	sachons!	sachions	sûmes
	vous	savez		saurez	saviez	sachez!	sachiez	sûtes
	ils / elles	savent		sauront	savaient		sachent	surent
tenir (to hold)	je	tiens	tenu (with avoir)	tiendrai	tenais		tienne	tins
	tu	tiens		tiendras	tenais	tiens!	tiennes	tins
	il / elle / on	tient		tiendra	tenait		tienne	tint
	nous	tenons		tiendrons	tenions	tenons!	tenions	tînmes
	vous	tenez		tiendrez	teniez	tenez!	teniez	tîntes
	ils / elles	tiennent		tiendront	tenaient		tiennent	tinrent
venir (to come)	je	viens	venu (with être)	viendrai	venais		vienne	vins
	tu	viens		viendras	venais	viens!	viennes	vins
	il / elle / on	vient		viendra	venait		vienne	vint
	nous	venons		viendrons	venions	venons!	venions	vînmes
	vous	venez		viendrez	veniez	venez!	veniez	vîntes
	ils / elles	viennent		viendront	venaient		viennent	vinrent
vivre (to live)	je	vis	vécu (with avoir)	vivrai	vivais		vive	vécus
	tu	vis		vivras	vivais	vis!	vives	vécus
	il / elle / on	vit		vivra	vivait		vive	vécut
	nous	vivons		vivrons	vivions	vivons!	vivions	vécûmes
	vous	vivez		vivrez	viviez	vivez!	viviez	vécûtes
	ils / elles	vivent		vivront	vivaient		vivent	vécurent

infinitive	pronoun	present	past participle	future	imperfect	imperative	subjunctive	past historic
voir	je	vois	vu	verrai	voyais		voie	vis
(to see)	tu	vois	(with avoir)	verras	voyais	vois!	voies	vis
	il / elle / on	voit		verra	voyait		voie	vit
	nous	voyons		verrons	voyions	voyons!	voyions	vîmes
	vous	voyez		verrez	voyiez	voyez!	voyiez	vîtes
	ils / elles	voient		verront	voyaient		voient	virent
vouloir	je	veux	voulu	voudrai	voulais		veuille	voulus
(to want to)	tu	veux	(with avoir)	voudras	voulais	veux, veuille!	veuilles	voulus
	il / elle / on	veut		voudra	voulait	veuille	veuille	voulut
	nous	voulons		voudrons	voulions	voulons, veuillons!	voulions	voulûmes
	vous	voulez		voudrez	vouliez	voulez, veuillez!	vouliez	voulûtes
	ils / elles	veulent		voudront	voulaient		veuillent	voulurent